I CANI DEL VINO

WINE DOGS ITALY

i cani delle aziende vinicole Italiane

Craig McGill e Susan Elliott

un libro Giant Dog | a Giant Dog book

WINE DOGS ITALY / I CANI DEL VINO
I CANI DELLE AZIENDE VINICOLE ITALIANE

ISBN 978-1-921336-11-9

COPYRIGHT © GIANT DOG, PRIMA EDIZIONE 2008
WINE DOGS ® È UN MARCHIO REGISTRATO

DESIGN DI SUSAN ELLIOTT, COPYRIGHT © McGILL DESIGN GROUP PTY LTD, 2008
TUTTE LE ILLUSTRAZIONI SONO PROTETTE DA COPYRIGHT © CRAIG McGILL, McGILL DESIGN GROUP PTY LTD, 2008
TUTTI I TESTI PRIVI DI ATTRIBUZIONE SONO PROTETTI DA COPYRIGHT © CRAIG McGILL, McGILL DESIGN GROUP PTY LTD, 2008
TUTTE LE FOTOGRAFIE SONO PROTETTE DA COPYRIGHT © CRAIG McGILL, 2008

STAMPATO PRESSO APOL BOOKBUILDERS, CINA

EDITING E CORREZIONE DELLE BOZZE (LINGUA INGLESE): VICKY FISHER
TRADUZIONI, CORREZIONE DELLE BOZZE E EDITING (LINGUA ITALIANA): ALESSIO BACCARINI HTTP://WWW.COMMUNICANDA.COM

PUBBLICATO DA GIANT DOG, ABN 27 110 894 178. PO BOX 964, ROZELLE NSW 2039 AUSTRALIA
TELEFONO: (+612) 9555 4077 FAX: (+612) 9555 5985 INFO@WINEDOGS.COM
WEB: WWW.WINEDOGS.COM

ORDINI: ORDERS@WINEDOGS.COM

LE OPINIONI ESPRESSE IN QUESTO LIBRO NON RIFLETTONO NECESSARIAMENTE QUELLE DELL'EDITORE.

TUTTI I DIRITTI RISERVATI. SENZA ALCUNA LIMITAZIONE DEI DIRITTI DI COPYRIGHT SOPRA SPECIFICATI, È VIETATA LA
RIPRODUZIONE, TOTALE O PARZIALE, DI QUESTO LIBRO, COSÌ COME L'INSERIMENTO O IL SALVATAGGIO DEI DATI IN
ESSO CONTENUTI IN UN SISTEMA DI BASE DATI, E LA TRASMISSIONE SOTTO OGNI FORMA O ATTRAVERSO OGNI MEZZO
(ELETTRONICO, MECCANICO, FOTOSTATICO, AUDIO O DI ALTRA NATURA), SENZA IL PREVIO CONSENSO CONGIUNTO DA PARTE
DEL TITOLARE DEL COPYRIGHT E DELL'EDITORE DI QUESTO LIBRO.

AVVISO VETERINARIO: LE ASSOCIAZIONI DEI VETERINARI AVVERTONO CHE L'ASSUNZIONE DI UVA, UVA SULTANINA E/O PASSITA
PUÒ NUOCERE SERIAMENTE ALLA SALUTE DEL CANE, E ADDIRITTURA PORTARE AL DECESSO PER INSUFFICIENZA RENALE.
PER IL BENESSERE E LA SALUTE DEL VOSTRO CANE, NON SOMMINISTRATEGLI UVA O PRODOTTI DERIVATI DALLE UVE.

WINE DOGS ITALY / I CANI DEL VINO
I CANI DELLE AZIENDE VINICOLE ITALIANE

ISBN 978-1-921336-11-9

COPYRIGHT © GIANT DOG, FIRST EDITION 2008
WINE DOGS ® IS A REGISTERED TRADEMARK

DESIGNED BY SUSAN ELLIOTT, COPYRIGHT © McGILL DESIGN GROUP PTY LTD, 2008
ALL ILLUSTRATIONS COPYRIGHT © CRAIG McGILL, McGILL DESIGN GROUP PTY LTD, 2008
ALL TEXT NOT ATTRIBUTED, COPYRIGHT © CRAIG McGILL, McGILL DESIGN GROUP PTY LTD, 2008
ALL PHOTOGRAPHY © CRAIG McGILL, 2008

PRINTED BY APOL BOOKBUILDERS, CHINA

ENGLISH PROOFREADING AND EDITING BY VICKY FISHER
ITALIAN TRANSLATION, PROOFREADING AND EDITING BY ALESSIO BACCARINI HTTP://WWW.COMMUNICANDA.COM

PUBLISHED BY GIANT DOG, ABN 27 110 894 178. PO BOX 964, ROZELLE NSW 2039 AUSTRALIA
TELEPHONE: (+612) 9555 4077 FACSIMILE: (+612) 9555 5985 INFO@WINEDOGS.COM
WEB: WWW.WINEDOGS.COM

FOR ORDERS: ORDERS@WINEDOGS.COM

OPINIONS EXPRESSED IN WINE DOGS ARE NOT NECESSARILY THOSE OF THE PUBLISHER.

ALL RIGHTS RESERVED. WITHOUT LIMITING THE RIGHTS UNDER COPYRIGHT RESERVED ABOVE, NO PART OF THIS
PUBLICATION MAY BE REPRODUCED, STORED IN OR INTRODUCED INTO A RETRIEVAL SYSTEM, OR TRANSMITTED, IN ANY
FORM OR BY ANY MEANS (ELECTRONIC, MECHANICAL, PHOTOCOPYING, RECORDING OR OTHERWISE), WITHOUT THE PRIOR
WRITTEN PERMISSION OF BOTH THE COPYRIGHT OWNER AND THE PUBLISHER OF THIS BOOK.

OTHER TITLES BY CRAIG McGILL AND SUSAN ELLIOTT INCLUDE:
WINE DOGS AUSTRALIA – MORE DOGS FROM AUSTRALIAN WINERIES ISBN 978-1-921336-02-7
WINE DOGS DELUXE EDITION – THE DOGS OF AUSTRALASIAN WINERIES ISBN 0-9580856-2-5
WINE DOGS USA EDITION – THE DOGS OF NORTH AMERICAN WINERIES ISBN 0-9580856-6-8
WINE DOGS USA 2 – MORE DOGS FROM NORTH AMERICAN WINERIES ISBN 978-1-921336-10-2
WINE DOGS NEW ZEALAND – THE DOGS FROM NEW ZEALAND WINERIES ISBN 978-1-921336-12-6

HEALTH WARNING: VETERINARY ASSOCIATIONS ADVISE THAT EATING GRAPES, SULTANAS OR RAISINS CAN MAKE
A DOG EXTREMELY ILL AND COULD POSSIBLY RESULT IN FATAL KIDNEY FAILURE. IN THE INTERESTS OF CANINE HEALTH
AND WELLBEING, DO NOT FEED YOUR DOGS GRAPES OR ANY GRAPE BY-PRODUCT.

"Se le preghiere dei cani venissero esaudite, pioverebbero ossi..."

——— **PROVERBIO**

"If a dog's prayers were answered, bones would rain from the sky..."

——— **PROVERB**

INDICE / CONTENTS

PREFAZIONE

di Daniele Cernilli

UNA PERSONALE LACUNOSISSIMA GUIDA
AGLI ABBINAMENTI ENOCINOFILI

GIOCHIAMO A CARTE SCOPERTE: se c'è qualcuno più inesperto di me in fatto di cani, lo dica ora o taccia per sempre. Non ho mai posseduto uno scodinzolatore, uno di quelli che ti accoglie festoso quando rientri dal lavoro, o ti scaraventa dal letto all'alba dopo una luuuuunga degustazione serale perché non ne può più, pipì e pupù (dev'essere uno dei motivi per cui non ne possiedo). Posso però confermare, dopo più di vent'anni di indefessa militanza nel mondo del vino, che questi quattrozampe sono considerati i migliori amici anche in molte aziende vinicole.

D'altro canto, i cani adorano la vita campagnola, e ben tollerano tutte le attività quotidiane dei loro glabri compagni. Quando non svolgono i tipici lavori da cane (caccia, custodia del gregge, giochi cretini con gli umani), amano vagare (a passo assai lesto, a volte) infaticabilmente per la vigna, seguendo piste che a noi sembrano senza senso, grazie a un tartufo di gran lunga più sensibile delle nari del più stimato assaggiator di vini (le selezioni per i degustatori delle guide del Gambero *non sono però aperte ai cani. Bè, magari l'anno prossimo...).*

Anche se lo dico da cinoneofita, sarebbe ora che qualcuno rendesse giustizia all'operato dei cani in azienda – compito cui assolve, almeno in parte, questo libro, che ritrae la bellezza canina in cantina, in vigna, nella sala delle degustazioni.

Tento dunque di offrire il mio umile contributo: un'estratto dalla mia Personale Lacunosissima Giuda agli Abbinamenti Enocinofili, *testo imprescindibile per i padroni di cani che desiderano il miglior abbinamento vino-cane (o piuttosto, per gli appassionati di vino che devono scegliere il cane più piacevole da coccolare mentre sorseggiano il loro nettare preferito? Uhm...).*

Lambrusco di Sorbara e Lagotto Romagnolo: fin troppo facile, date le radici geografiche comuni al quadrupede e al vino. Una bella pacca virile sul dorso del Lagotto, arrotolando con delicatezza le dita ai riccioli del manto. Assaporate l'acidità e la morbidezza del Lambrusco. Non fate assaggiare il Sorbir d'Agnoli a questa specie di barboncino anabolizzato, altrimenti, col cavolo che accetterà di tornare alla solita pappa.

Chianti Classico e Segugio Italiano. L'indole di docile e infaticabile lavoratore merita una Riserva. Perdetevi negli aromi del Chianti e negli occhi seri e languidi del Segugio. Prima, però, togliete la Fiorentina che state gustando dalla portata delle fauci.

Montepulciano d'Abruzzo e Pastore Maremmano-Abruzzese. Vino e cane hanno un carattere franco e spigoloso: per dirla con Maureen Ashley, due deliziosi mostri. Evitate di

FOREWORD

by Daniele Cernilli

MY ABSOLUTELY INCOMPLETE DOG CUDDLER'S GUIDE
TO THE ITALIAN WINE GALAXY

FIRST, I HAVE TO ADMIT that I'm no dog expert. I have never had a puppy to wag its tail cheerily at me upon returning home after work, nor one to wake me up unacceptably early after a late night wine-tasting session, for an urgent pee-and-poop round (lucky me). Nevertheless, after some twenty years in the world of wine, and quite frequent visits to vineyards and wineries, I can confirm that dogs are appreciated companions to people in the wine industry, too.

Hounds do enjoy life on the farm, and are absolutely sympathetic to their furless mates throughout their daily activities. When not called upon for typically canine tasks such as hunting, guarding, silly human games etc, dogs love to roam (or, in some cases, run) relentlessly around the vineyard, beating tracks that appear aimless to us humans, led by noses far more sensitive than the most seminal wine-taster's (hey – no dogs need apply as wine-sniffers for Gambero's guide *– at least this season).*

Though a dog novice, I can't help stating that it's high time that someone did justice to our furry winemaking mates – and the photos in this book finally celebrate canine beauty in the cellar, vineyard and tasting room.

My humble contribution is an excerpt from a most incomplete Dog Cuddler's Guide to the Italian Wines Galaxy, *condensed in the few lines that follow; directed to dog owners who want the absolutely best dog-wine pairing (or was it for wine-lovers to choose the best dog to match their favourite Italian wine? Huh...).*

Lambrusco di Sorbara and Lagotto Romagnolo: That was an easy one. The dog and the wine come from the same region. Pat the Lagotto on the back, carefully caressing the curly hair. Taste the silky acidity of the Lambrusco. DO NOT let the Lagotto (an overgrown poodle) smell the Sorbir d'Agnoli (a delicious stuffed pasta soup enriched with Lambrusco) or it will never accept pet food again.

Chianti Classico and Segugio Italiano (Italian hound). A Riserva is best for this hard-working, yet demanding hound. Lose yourself in the Chianti aroma and in the serious, melancholic eyes of the Segugio. Keep the Segugio off the Fiorentina steak.

Montepulciano d'Abruzzo and Pastore Maremmano-Abruzzese. The dog and the wine share an earnest if edgy character – two delicious monsters, as Maureen Ashley would put it. Avoid spilling the deeply coloured red nectar on the snowy-white fur of the Pastore. If this happens – and you're the owner of the dog – be prepared for deep groans of protest; if you're not the owner, be prepared anyway.

versare il rubino nettare sul manto candido del Pastore. Nel malaugurato caso in cui ciò avvenga, se siete i padroni del cane preparatevi a una lunga serie di gutturali rimbrotti; se non siete i padroni, preparatevi per ogni evenienza.

Marsala Vergine e Cirneco dell'Etna. Entrambi endemici della Trinacria. Questi segugi ricordano i cani ritratti nei bassorilievi egizi (e, in effetti, derivano dallo stesso ceppo, di origine africana); la complessità di questo vino da meditazione è degna dei faraoni. Formaggi stagionati (sul Marsala secco) e dolcetti siculi stimoleranno senza meno l'olfatto finissimo del Cirneco. L'accoppiamento offre anche un piacere degli occhi: il manto rossastro e i riflessi dorati sono un eccellente accostamento tono-su-tono.

Aggiungerei che i bastardini si sposano benissimo con qualsiasi vino. Come tutti i meticci, prendono il meglio delle razze da cui derivano, sono eccellenti in cantina, sbarazzini nell'estetica e nel carattere. Se decidete di adottarne uno presso un canile, vi ripagherà con sempiterna gratitudine e affetto. È anche gratis!

Grazie alla mia buona stella, ho esaurito lo spazio a mia disposizione e posso fermare il flusso di parole in libertà. Indirizzate pure le vostre lamentele per gli accoppiamenti che non condividete agli autori Craig e Susan (info@winedogs.com), che, incautamente anzichenò, mi hanno affidato questo spazio a dispetto della mia ignoranza in materia di cani. Il sottoscritto e Winedogs.com declinano ogni responsabilità per i danni causati da qualsiasi accoppiamento enocinofilo sbagliato: al massimo, deciderete di bere prima, e coccolare poi, o viceversa.

DANIELE CERNILLI È LA FIRMA DI PUNTA DEL *GAMBERO ROSSO SLOW FOOD EDITION*, AUTORE DI MOLTI SUCCESSI EDITORIALI NEL SETTORE DEL VINO, TRA CUI *LA NUOVA ITALIA*.

Marsala Vergine and Cirneco dell'Etna. Both are endemic to Sicily. These hounds remind us of the Pharaoh dogs to be found in Egyptian bas-reliefs (and actually originally came from the same African breed); the complexity of this meditation wine is worth a pharaoh's ransom. Aged cheese (on dry Marsala) and sweets are most likely to appeal to the Cirneco's keen nose. Besides, reddish (the dog) and amber (the wine) make a very good colour match on the same palette.

Just one more thing: mutts match any wine wonderfully. They inherit the best of all breeds, make very good cellar dogs, their looks and behaviour are unpretentious. If you decide to rescue an abandoned one – at no cost – from an animal shelter, it will reward you with endless gratitude and affection.

For goodness sake, I'm running out of space and should stop writing! Complaints for awkward pairings can be addressed to Craig and Susan (info@winedogs.com), who asked me to write this despite my canine ignorance. Under no circumstances is the undersigned or Winedogs.com liable for a wrong dog-wine pairing – drink the wine and cuddle the dog in separate sessions.

DANIELE CERNILLI IS A CHIEF EDITOR FOR *GAMBERO ROSSO SLOW FOOD EDITION* AND THE AUTHOR OF MANY SUCCESSFUL WINE-RELATED BOOKS, INCLUDING *THE NEW ITALY*.

"*Nessuno può comprendere a fondo il senso
dell'amore finché non ha avuto un cane.
Con una sola scodinzolata, il cane esprime più affetto
disinteressato di quanto gli uomini possano raccogliere
in tutta una vita di strette di mano...*"

——— **GENE HILL**

"*Nobody can fully understand the meaning
of love unless he's owned a dog.
A dog can show you more honest affection
with a flick of his tail than a man can gather
through a lifetime of handshakes...*"

——— **GENE HILL**

PASSATEMPO PREFERITO:
CERCAR SASSI NEL FIUME
CIBO PREFERITO: RISO BIODINAMICO E
BOLLITO MISTO ALLA PIEMONTESE
COSE CHE LO INFASTIDISCONO: IL VETERINARIO

FAVOURITE PASTIME: LOOKING
FOR STONES IN THE RIVER
FAVOURITE FOODS: BIODYNAMIC RICE AND
BOLLITO MISTO ALLA PIEMONTESE
PET PEEVE: THE VET

BRICCO

PROPRIETARI: NICOLETTA E PIETRO BOCCA | LABRADOR, 11 | **SAN FEREOLO** CUNEO, PIEMONTE | 11

BRUTTO VIZIO: RINCORRERE LE LEPRI
COSE CHE LA INFASTIDISCONO: I CINGHIALI
COMPLICI: ALESSIA E CAROLINA

NAUGHTIEST DEED: CHASING A HARE
PET PEEVE: WILD BOAR
KNOWN ACCOMPLICES: ALESSIA AND CAROLINA

PASSATEMPO PREFERITO:
RINCORRERE LE LEPRI
BRUTTO VIZIO:
RINCORRERE IL POSTINO
COSE CHE LO INFASTIDISCONO: I CINGHIALI

FAVOURITE PASTIME: RUNNING AFTER HARES
NAUGHTIEST DEED: CHASING THE POSTMAN
PET PEEVE: WILD BOAR

ROCKY

PROPRIETARIA: LUCIANA GRASSO | PASTORE TEDESCO, 7 | CA' DEL BAIO CUNEO, PIEMONTE | 13

FIORELLO

BRUTTO VIZIO: MORDERE LE CAVIGLIE
COSE CHE LO INFASTIDISCONO: IL PASSEGGIO
NOTTURNO DEGLI ALTRI ANIMALI
PASSATEMPO PREFERITO: CACCIA ALLA LEPRE

NAUGHTIEST DEED: BITING ANKLES
PET PEEVE: OTHER ANIMALS AT NIGHT
FAVOURITE PASTIME: HUNTING FOR HARE

ARTU

MAYA

PASSATEMPO PREFERITO:
GIOCARE CON I CEPPI DELLE VITI
CIBO PREFERITO: STINCO DI MAIALE
BRUTTO VIZIO: ABBAIARE AI TRATTORI

FAVOURITE PASTIME: PLAYING WITH VINE SHOOTS
FAVOURITE FOOD: PIG'S TROTTERS
NAUGHTIEST DEED: BARKING AT TRACTORS

CIBO PREFERITO: LE CAROTE
COSE CHE LA INFASTIDISCONO: I BAMBINI
COMPLICI: ARTÙ E AMILCARE IL CONIGLIO

FAVOURITE FOOD: CARROTS
PET PEEVE: CHILDREN
KNOWN ACCOMPLICES: ARTÙ AND AMILCARE THE RABBIT

IRO

PASSATEMPO PREFERITO:
AIUTARE A VENDERE IL VINO
CIBO PREFERITO: RISO E POLLO
BRUTTO VIZIO: FARE LA PIPÌ SULLE MACCHINE
COSE CHE LO INFASTIDISCONO: I TUONI

FAVOURITE PASTIME: HELPING TO SELL WINE
FAVOURITE FOODS: RICE AND CHICKEN
NAUGHTIEST DEED: PEEING ON CARS
PET PEEVE: THUNDER

PASSATEMPO PREFERITO: GIOCARE CON I MIEI FIGLI
BRUTTO VIZIO: DISTRUGGERE I PANNI APPENA LAVATI
COSE CHE LA INFASTIDISCONO: LE BICICLETTE
COMPLICI: MARTA E PAOLO

FAVOURITE PASTIME: PLAYING WITH THE KIDS
NAUGHTIEST DEED: DESTROYING THE WASHING
PET PEEVE: BICYCLES
KNOWN ACCOMPLICES: MARTA AND PAOLO

KIRA

PROPRIETARIA: SUSANNA GALANDRINO | CANE CORSO, 4 | **LA GIRONDA** ASTI, PIEMONTE | 17

LILO

GIOCATTOLO PREFERITO: UNA SPUGNA DA BAGNO
BRUTTO VIZIO: ABBAIARE AI SUOI PADRONI
PASSATEMPO PREFERITO: NASCONDERE I GUANTI DEGLI OPERAI

FAVOURITE TOY: BATH SPONGE
NAUGHTIEST DEED: BARKING AT THE BOSSES
FAVOURITE PASTIME: HIDING WORKERS' GLOVES

CIBO PREFERITO:
CARNE, CIOCCOLATO
BRUTTO VIZIO:
INSEGUIRE I MOTORINI
COSE CHE LO INFASTIDISCONO:
QUANDO QUALCUNO GLI TOCCA LE ZAMPE

FAVOURITE FOODS: MEAT AND CHOCOLATE
NAUGHTIEST DEED: CHASING SCOOTERS
PET PEEVE: HAVING HIS PAWS TOUCHED

BRIC

PASSATEMPO PREFERITO: DORMIRE
PEGGIOR DIFETTO: UN PERENNE STATO DI AGITAZIONE
COSE CHE LA INFASTIDISCONO: GLI ESTRANEI
COMPLICI: NONNO GIOVANNI

FAVOURITE PASTIME: SLEEPING
NAUGHTIEST DEED: BEING A NERVOUS WRECK
PET PEEVE: STRANGERS
KNOWN ACCOMPLICE: GRANDFATHER GIOVANNI

LEDA

BARROERO CUNEO, PIEMONTE | CANE DA TARTUFO X, 4 | PROPRIETARIO: GIACOMO BARROERO

CIBO PREFERITO: UN PO' TUTTO, BASTA
CHE LO STIA MANGIANDO IL PADRONE
GIOCATTOLO PREFERITO: LA MAMMA, MAYA
COSE CHE LA INFASTIDISCONO: IL POSTINO

FAVOURITE FOOD: WHATEVER THE BOSS IS EATING
FAVOURITE TOY: HER MOTHER, MAYA
PET PEEVE: THE POSTMAN

SUSINA

PROPRIETARIO: GIACOLINO GILI

MAKI

PASSATEMPO PREFERITO: DORMIRE
PEGGIOR DIFETTO: RUSSARE
COSE CHE LA INFASTIDISCONO:
ESSER LASCIATA A CASA DA SOLA

FAVOURITE PASTIME: SLEEPING
NAUGHTIEST DEED: SNORING
PET PEEVE: BEING LEFT ALONE IN THE HOUSE

DREI DONÀ FORLÌ-CESENA, EMILIA ROMAGNA | YORKSHIRE TERRIER, 7 | PROPRIETARIO: CLAUDIO DREI DONÀ

PASSATEMPO PREFERITO: RUBARE
CIBO PREFERITO: CARNE
BRUTTO VIZIO: ANDARE A CACCIA DI GATTI
COSE CHE LO INFASTIDISCONO: I GATTI

FAVOURITE PASTIME: STEALING
FAVOURITE FOOD: MEAT
NAUGHTIEST DEED: CHASING THE CAT
PET PEEVE: CAT5

ORSO PONGO

GIOCATTOLO PREFERITO: LA CARTA
BRUTTO VIZIO: DORMIRE IN AUTO
COSE CHE LO INFASTIDISCONO: GLI OSPITI

FAVOURITE TOY: PAPER
NAUGHTIEST DEED: SLEEPING IN THE CAR
PET PEEVE: VISITORS

CHARLIE

PINA

PASSATEMPO PREFERITO: I FAGIANI E LE LEPRI
BRUTTO VIZIO: ANDARE A CACCIA DI CONIGLI
COSE CHE LA INFASTIDISCONO: I CANI AL CANCELLO
FAVOURITE PASTIME: CHASING PHEASANTS AND HARE
NAUGHTIEST DEED: CHASING RABBITS
PET PEEVE: DOGS AT THE GATE

CIBO PREFERITO: BISCOTTI, SALAME
BRUTTO VIZIO: ROSICCHIARE LE SCARPE
PASSATEMPO PREFERITO: DORMIRE SUL DIVANO

FAVOURITE FOODS: BISCUITS AND SALAMI
NAUGHTIEST DEED: CHEWING SHOES
FAVOURITE PASTIME: SLEEPING ON THE SOFA

AGATA

MR NELSON

AMICI: MIRCO E CEDRO
CIBO PREFERITO: BISCOTTI
PEGGIOR DIFETTO: QUELLA
SUA ARIA UN PO' SNOB
COSE CHE LO INFASTIDISCONO:
L'ECCESSO DI COCCOLE

KNOWN ACCOMPLICES: MIRCO AND CEDRO
FAVOURITE FOOD: BISCUITS
NAUGHTIEST DEED: BEING A 'SNOB'
PET PEEVE: BEING CUDDLED TOO MUCH

CIBO PREFERITO: BASILICO
VIZIO PEGGIORE: DISTRUGGERE IL PROPRIO LETTINO
GIOCATTOLO PREFERITO: PALLA DA TENNIS
COSE CHE LO INFASTIDISCONO: ESSERE IGNORATO

FAVOURITE FOOD: BASIL
NAUGHTIEST DEED: DESTROYING HIS BED
FAVOURITE TOY: TENNIS BALL
PET PEEVE: BEING IGNORED

CEDRO

FRANCESCA MORETTI

PASSATEMPO PREFERITO:
ANDARE A VELA SUL LAGO CON I MIEI CANI
CIBO PREFERITO: SPAGHETTI, PIZZA
COSE CHE LA INFASTIDISCONO: LA BORIA

FAVOURITE PASTIME: SAILING
ON THE LAKE WITH HER DOGS
FAVOURITE FOODS: SPAGHETTI AND PIZZA
DISLIKE: ARROGANCE

VITA DA CANI... DEL VINO *Può darsi che Mr Nelson e Pedro siano i due più fortunati, ma senz'altro rientrano tra i più felici Cani del Vino d'Italia. Eppure, neanche per questi due amabili scodinzolatori la vita è tutta svago e gioco. Un Cane del Vino che si rispetti è sempre in servizio: un giorno sono di casa in Toscana, all'azienda vinicola Petra, il successivo in Franciacorta, negli incantevoli giardini di Bellavista. Un assaggio di spumante qui, magari un pranzo da sogno da Gualtiero Marchesi, coronato da un pisolino all'ombra dei filari.*

E tutto nel medesimo giorno di lavoro... non c'è che dire, la vita sorride a questi due staCANovisti!

IT'S A WINE DOG'S WORLD *Mr Nelson and Pedro are possibly the luckiest and definitely two of the happiest Wine Dogs in Italy. But life is not all fun and games for these two lovely tail-waggers. An official Wine Dogs job is never done and for them, home may be in Tuscany at the Petra winery one day, or the beautiful gardens of Bellavista in Franciacorta the next day. A little taste of sparkling wine here, perhaps a wonderful lunch at Gualtiero Marchesi's restaurant followed by a sleep under the vines.*

Ah, all in a day's work ... life is good for these two hard workers!

FAUST

PASSATEMPO PREFERITO: SCAPPARE
BRUTTO VIZIO: SALTARE ADDOSSO A TUTTI
COSE CHE LO INFASTIDISCONO: LE PERSONE ANTIPATICHE

FAVOURITE PASTIME: RUNNING AWAY
NAUGHTIEST DEED: JUMPING UP ON EVERYONE
PET PEEVE: UNFRIENDLY PEOPLE

0 STREVI, PIEMON

CIBO PREFERITO: PANETTONE
BRUTTO VIZIO: DISTRUGGERE IL GIARDINO
PASSATEMPO PREFERITO: ANDARE IN MACCHINA

FAVOURITE FOOD: CHRISTMAS CAKE
NAUGHTIEST DEED: DESTROYING THE GARDEN
FAVOURITE PASTIME: GOING IN THE CAR

ALEX

PASSATEMPO PREFERITO: MANGIARE
CIBO PREFERITO: IL SALAME
PEGGIOR DIFETTO: ESSERE GELOSA
COSE CHE LA INFASTIDISCONO: IL COLLARE

FAVOURITE PASTIME: EATING
FAVOURITE FOOD: SALAMI
NAUGHTIEST DEED: BEING JEALOUS
PET PEEVE: THE COLLAR

TAÍ

PASSATEMPO PREFERITO: GIOCARE CON LA PALLA
BRUTTO VIZIO: SALTARE ADDOSSO ALLA GENTE
COSE CHE LA INFASTIDISCONO: I RUMORI

FAVOURITE PASTIME: PLAYING WITH A BALL
NAUGHTIEST DEED: JUMPING ON PEOPLE
PET PEEVE: NOISE

TOOTSIE

PROPRIETAR

MAGO

PASSATEMPO PREFERITO: DORMIRE NEI VIGNETI
BRUTTO VIZIO: CHIEDERE DA MANGIARE AL CAVALIERE
COSE CHE LO INFASTIDISCONO: ESSERE LASCIATO SOLO

FAVOURITE PASTIME: SLEEPING IN THE VINEYARDS
NAUGHTIEST DEED: BEGGING FOR FOOD FROM IL CAVALIERE
PET PEEVE: BEING LEFT ALONE

IETARI: CASTELLO DI GABBIANO

GIOCATTOLO PREFERITO: LA NEVE
COSE CHE LA INFASTIDISCONO:
GLI SPARI DEI CACCIATORI
COMPLICI: THOMAS

FAVOURITE TOY: THE SNOW
PET PEEVE: HUNTERS SHOOTING
KNOWN ACCOMPLICE: THOMAS

GINA

WINNY

PASSATEMPO PREFERITO:
COLLEZIONARE SASSOLINI
CIBO PREFERITO: CROCCANTINI
GIOCATTOLO PREFERITO: UNA VECCHIA FELPA

FAVOURITE PASTIME: CATCHING SMALL STONES
FAVOURITE FOOD: DRY DOG FOOD
FAVOURITE TOY: OLD JUMPERS

PASSATEMPO PREFERITO: RINCORRERE LE OCHE
BRUTTO VIZIO: MANGIARE L'OCA CATTURATA
COSE CHE LO INFASTIDISCONO: I PAPPAGALLI
GIOCATTOLO PREFERITO: IL PALLONE

FAVOURITE PASTIME: RUNNING AFTER THE GEESE
NAUGHTIEST DEED: EATING THAT GOOSE
PET PEEVE: PARROTS
FAVOURITE TOY: A FOOTBALL

JAGO

CIBO PREFERITO: CARNE ALLA GRIGLIA
GIOCATTOLO PREFERITO: IL PALLONE
COSE CHE LO INFASTIDISCONO: I BAMBINI

FAVOURITE FOOD: GRILLED MEAT
FAVOURITE TOY: A FOOTBALL
PET PEEVE: KIDS

BORIS

COSE CHE LA INFASTIDISCONO: QUANDO GLI
ALTRI CANI DORMONO NELLA SUA CUCCIA
COMPLICI: JAGO

PET PEEVE: WHEN THE OTHER
DOGS SLEEP IN HER HOUSE
KNOWN ACCCOMPLICE: JAGO

CIBO PREFERITO: LE TORTE
COSE CHE LO INFASTIDISCONO: QUANDO
GLI ESTRANEI GLI TOCCANO LE ORECCHIE
BRUTTO VIZIO: ESSERE PIGRO
COMPLICI: CHIARA E LAZIA

FAVOURITE FOOD: CAKE
PET PEEVE: STRANGERS TOUCHING HIS EARS
NAUGHTIEST DEED: BEING LAZY
KNOWN ACCOMPLICES: CHIARA AND LAZIA

BALTO

CIBO PREFERITO: CORN FLAKES
BRUTTO VIZIO: ELEMOSINARE CIBO DALLA TAVOLA
PASSATEMPO PREFERITO: RINCORRERE LE GALLINE

FAVOURITE FOOD: CORN FLAKES
NAUGHTIEST DEED: BEGGING AT THE TABLE
FAVOURITE PASTIME: RUNNING AFTER CHICKENS

CUTI

CIBO PREFERITO: CARNE, TORTE
COSE CHE LO INFASTIDISCONO: I FUOCHI D'ARTIFICIO
BRUTTO VIZIO: SALTARE SU LETTI E DIVANI
PASSATEMPO PREFERITO: GIOCARE A PALLA CON CHIUNQUE

FAVOURITE FOODS: MEAT AND CAKE
PET PEEVE: FIREWORKS
NAUGHTIEST DEED: JUMPING ON THE BED AND COUCH
FAVOURITE PASTIME: PLAYING BALL WITH EVERYONE

LOTAR

PASSATEMPO PREFERITO: RUBARE LE SCARPE
CIBO PREFERITO: POMODORO ED AGLIO
AMICI: CUTI E LOTAR

FAVOURITE PASTIME: STEALING SHOES
FAVOURITE FOODS: TOMATO AND GARLIC
KNOWN ACCCOMPLICES: CUTI AND LOTAR

PELÈ

PASSATEMPO PREFERITO:
RINCORRERE I FAGIANI
CIBO PREFERITO: IL PANE
COSE CHE LO INFASTIDISCONO:
I RUMORI FORTI

FAVOURITE PASTIMES:
RUNNING AFTER WILD PHEASANTS
FAVOURITE FOOD: BREAD
PET PEEVE: LOUD NOISE

DADO

AMELIA

CIBO PREFERITO: RISO, CARNE
BRUTTO VIZIO: DORMIRE SUL LETTO
COSE CHE LA INFASTIDISCONO: QUANDO
GLI ESTRANEI LE TOCCANO IL MUSO

FAVOURITE FOODS: RICE AND MEAT
NAUGHTIEST DEED: SLEEPING ON THE BED
PET PEEVE: STRANGERS' HANDS NEAR HER MUZZLE AND HAIR

CIBO PREFERITO: LA PIZZA
BRUTTO VIZIO: DORMIRE SUL NOSTRO LETTO
COSE CHE LA INFASTIDISCONO: IL GUINZAGLIO

FAVOURITE FOOD: PIZZA
NAUGHTIEST DEED: SLEEPING ON THE BED
PET PEEVE: BEING ON A LEASH

NEBBIA

UGO

CIBO PREFERITO: PROSCIUTTO COTTO
BRUTTO VIZIO: L'AGGRESSIVITÀ CONTRO GLI ALTRI CANI
COSE CHE LO INFASTIDISCONO: IL VETERINARIO
COMPLICI: GLORIA

FAVOURITE FOOD: HAM
NAUGHTIEST DEED: BEING AGGRESSIVE WITH OTHER DOGS
PET PEEVE: THE VET
KNOWN ACCOMPLICE: GLORIA

CIBO PREFERITO: QUELLO CHE MANGIANO ALTRI CANI
BRUTTO VIZIO: BLOCCARE IL PASSAGGIO ALLE PORTE
COSE CHE LO INFASTIDISCONO: GLI SPARI
PASSATEMPO PREFERITO: GETTARSI
SU QUALSIASI COSA SI MUOVA

FAVOURITE FOOD: THE OTHER DOGS' FOOD
NAUGHTIEST DEED: BLOCKING DOORS
PET PEEVE: GUNFIRE
FAVOURITE PASTIME: DIVING AT ANYTHING THAT MOVES

RAMBO

COSE CHE LA INFASTIDISCONO:
ESSERE ANNUSATA
GIOCATTOLO PREFERITO: LE LUCERTOLE
CIBO PREFERITO: LE NOCI

PET PEEVE: BEING SNIFFED
FAVOURITE TOY: LIZARDS
FAVOURITE FOOD: WALNUTS

MIA

PASSATEMPO PREFERITO: MANGIARE LE PALLINE DA GOLF
BRUTTO VIZIO: ELEMOSINARE CIBO DALLA TAVOLA
COMPLICI: LE DUE ANATRE

FAVOURITE PASTIME: EATING GOLF BALLS
NAUGHTIEST DEED: BEGGING AT THE TABLE
KNOWN ACCOMPLICES: THE TWO DUCKS

DAR

CIBO PREFERITO: LE PATATE
BRUTTO VIZIO: MANGIARE LE SCARPE DEI VISITATORI
COSE CHE LA INFASTIDISCONO: IL COLLARE

FAVOURITE FOOD: POTATOES
NAUGHTIEST DEED: EATING GUESTS' SHOES
PET PEEVE: THE COLLAR

EMMA

BRUTTO VIZIO: AGGUANTARE GATTINI
COSE CHE LA INFASTIDISCONO: EMMA
PASSATEMPO PREFERITO: ESSERE L'OMBRA DI ALESSANDRO

NAUGHTIEST DEED: CATCHING A KITTEN
PET PEEVE: EMMA
FAVOURITE PASTIME: BEING ALESSANDRO'S SHADOW

ROSA

PEGGY

PASSATEMPO PREFERITO: SALIRE IN CIMA AD ALBERI E CESPUGLI PER DARE LA CACCIA AGLI UCCELLI
BRUTTO VIZIO: BUCHERELLARE I PANTALONI DEGLI OSPITI
GIOCATTOLO PREFERITO: LA BIANCHERIA INTIMA DI CLARA

FAVOURITE PASTIME: JUMPING IN THE TREES AND BUSHES TO HUNT FOR BIRDS
NAUGHTIEST DEED: PUTTING HOLES IN VISITORS' PANTS
FAVOURITE TOY: CLARA'S UNDERWEAR

FAVOURITE FOOD: CHEESE FROM THE BOSS'S PLATE
PET PEEVE: BEING HELD BY STRANGERS
NAUGHTIEST DEED: GOING THROUGH THE GARBAGE

CIBO PREFERITO: IL FORMAGGIO PREFERIBILMENTE
RUBATO DALLA TAVOLA DEI PADRONI (PREFERIBILMENTE
RUBATO DAL PIATTO DEL PADRONE)
COSE CHE LO INFASTIDISCONO:
ESSERE ABBRACCIATO DAGLI ESTRANEI
BRUTTO VIZIO: ROVISTARE NELL'IMMONDIZIA

TANGUY

MUFFIN

PASSATEMPO PREFERITO: FARSI VEDERE AI AL CASTELLO
CIBO PREFERITO: LE BISTECCHE E LE ORECCHIE DI MAIALE
COSE CHE LA INFASTIDISCONO: SPARI E TUONI

FAVOURITE PASTIME: VISITING WEDDINGS AT THE CASTLE
FAVOURITE FOODS: STEAK AND PIGS EARS
PET PEEVES: GUNSHOTS AND THUNDER

PASSATEMPO PREFERITO:
ANDARE A CACCIA DI ANIMALI SELVATICI
BRUTTO VIZIO: TUFFARSI NELLE
POZZANGHERE DOPO ESSERE STATA LAVATA
COSE CHE LA INFASTIDISCONO:
LE MOTOCICLETTE

FAVOURITE PASTIME: HUNTING FOR WILD ANIMALS
NAUGHTIEST DEED: JUMPING IN PUDDLES AFTER BEING WASHED
PET PEEVE: MOTORBIKES

TINA

EHI BOSS, QUI COMANDO IO!

di Ferruccio Ferragamo

BOSS È STATO UN REGALO DI COMPLEANNO di mia moglie. "Chiamato" ad alleviare la perdita del fido Baden, grande amico e compagno di caccia, che se n'era andato nel 2005. Stessa razza, bracco tedesco, quella che amo di più.

Baden lo potevo portare in ufficio; Boss è ancora troppo piantagrane, scatenato com'è. Non sopporta essere lasciato da solo; chiudetelo in una stanza, e vedrete cosa combina! Ecco perché passa la maggior parte del tempo con mia moglie, che adora; è letteralmente la sua ombra.

I nostri bambini non vedono l'ora di rientrare da scuola per giocare con il cagnolino (e Boss non si tira certo indietro). Il cucciolo è un amore, specialmente con i bambini; il suo preferito è Francesco, il più piccolo; una peste di cinque anni, con cui si scatena nei giochi più sfrenati. Eppure, basta che Boss avverta lo scalpiccio dei miei passi al ritorno a casa, e si ricompone – lascia i divani ai legittimi utenti (noi), e rispetta tutte le regole domestiche; a dispetto del suo nome "importante", in casa comando io!

Di solito, trascorriamo i fine settimana in campagna, nella Tenuta del Borro. Gli basta sentire il clic del telecomando che apre il cancello, e Boss si muove dalla sua postazione ai piedi del conducente, chiedendo di scendere dalla macchina per fare l'ultimo tratto di corsa, al seguito dell'auto.

Non appena imbraccio il fucile, e ci avviamo per il bosco, questo adorabile giocherellone si trasforma in un cacciatore professionista. Un talento innato, mostrato sin dai primi mesi di età: un istinto primario, che si manifesta nella concentrazione e autorevolezza del cane mentre svolge il proprio compito.

A due anni di età, Boss è ancora 'signorino'.

Di carattere dolce ma deciso, Boss non ama essere fotografato; capisce subito quando lo portiamo dal veterinario (altra cosa che proprio non riesce ad amare), e anche quando stiamo per partire, lasciandolo a casa. Per lui, le valigie annunciano un periodo molto triste...

FERRUCCIO FERRAGAMO È AL TIMONE DELL'AZIENDA DI FAMIGLIA. POSSIEDE, TRA L'ALTRO, UN CASTELLO MEDIEVALE IMMERSO NELLE COLLINE TOSCANE, IL BORRO, CHE A SUO DIRE È IL POSTO PIÙ BELLO DEL MONDO.

WHO'S THE REAL BOSS?

by Ferruccio Ferragamo

BOSS WAS A BIRTHDAY PRESENT from my wife. He came to cheer me up after the death of my old friend and hunting mate Baden in 2005. And just like Baden, he's a German short-haired pointer – a breed that I'm particularly fond of.

Whereas Baden was quite comfortable sharing my office, Boss is a troublemaker and is too restless for that. He doesn't like being left alone and will misbehave if he is locked up in a room. As a result, Boss spends a lot of time with my wife; closely following each and every step of his beloved mistress.

Our children can't wait to get back from school to play with their pet (and Boss can't wait either). Boss is an affectionate dog and wonderful with kids, especially with Francesco, my youngest son – a five-year-old who plays very energetically with him. When Boss hears my footsteps returning home, he always starts to behave – he gets off the couch and respects all the rules of the house...he remembers who's the real Boss!

We spend most of our weekends in the countryside, at the Tenuta del Borro. As soon as the remote control clicks the gate open, Boss immediately leaves his place at the feet of the driver and begs to get out – he loves chasing the car on the last stretch home.

As soon as he sees me pick up the rifle and we head for the woods, our playful pet turns into a game professional. A natural-born hunting dog, his strong primal instinct has always been obvious as he shows great concentration and authority.

He's two years old now, and hasn't yet played 'the mating game'.

My pet is lovely yet strong-tempered, dislikes being photographed, smells a vet from miles away (just like all dogs), and immediately understands when we're about to go on a trip and leave him behind. For Boss, the sight of our luggage is the saddest thing of all...

FERRUCCIO FERRAGAMO IS THE CEO OF THE COMPANY THAT BEARS HIS FAMILY NAME. HE IS ALSO THE OWNER OF THE MEDIEVAL HAMLET IN THE HILLS OF TUSCANY, IL BORRO — WHICH HE DESCRIBES AS THE MOST BEAUTIFUL PLACE IN THE WORLD.

FERRUCCIO FERRAGAMO

CIBO PREFERITO: IL PESCE
COSE CHE LO INFASTIDISCONO: LE BUGIE
BRUTTO VIZIO: ESSERE SEMPRE
IN RITARDO AGLI APPUNTAMENTI

FAVOURITE FOOD: FISH
DISLIKE: LIES
NAUGHTIEST DEED: BEING LATE FOR APPOINTMENTS

PASSATEMPO PREFERITO: ANDARE A CACCIA
CIBO PREFERITO: IL FORMAGGIO
GIOCATTOLO PREFERITO: LA COPERTA DELLA SUA CUCCIA

FAVOURITE PASTIME: HUNTING
FAVOURITE FOOD: CHEESE
FAVOURITE TOY: THE RUG FROM HIS BED

BOSS

COSE CHE LO INFASTIDISCONO:
IL VETERINARIO
BRUTTO VIZIO: IN PREDA
ALL'EMOZIONE, SVUOTA LA VESCICA
COMPLICI: FRANCESCO, FIGLIO DI FERRUCCIO

PET PEEVE: THE VET
NAUGHTIEST DEED: PEEING WHEN HE'S EXCITED
KNOWN ACCOMPLICE: FERRUCCIO'S SON, FRANCESCO

BOSS

BARBARA BUONANNO

PASSATEMPO PREFERITO: ANDARE AL MARE
CIBO PREFERITO: PASTA AL PESTO ALLA GENOVESE
BRUTTO VIZIO: LASCIARE LE SCARPE IN MEZZO ALLA STANZA
COSE CHE LA INFASTIDISCONO: LE BUGIE

FAVOURITE PASTIME: GOING TO THE BEACH
FAVOURITE FOOD: PASTA WITH PESTO
NAUGHTIEST DEED: LEAVING SHOES
IN THE MIDDLE OF THE ROOM
DISLIKE: LIES

vespa

PASSATEMPO PREFERITO: VIAGGIARE IN VESPA
CIBO PREFERITO: LA RICOTTA
BRUTTO VIZIO: DORMIRE SUI CUSCINI DEL LETTO
COSÈ CHE LA INFASTIDISCONO: I GATTI

FAVOURITE PASTIME: TRAVELLING ON THE VESPA
FAVOURITE FOOD: RICOTTA CHEESE
NAUGHTIEST DEED: SLEEPING ON PILLOWS
PET PEEVE: CATS

ISOTTA

LUNA

COMPLICI: NEVE
BRUTTO VIZIO: LA TESTARDAGGINE
COSE CHE LA INFASTIDISCONO: ANDARE
A CACCIA E TORNARE A 'ZAMPE' VUOTE

KNOWN ACCOMPLICE: NEVE
NAUGHTIEST DEED: BEING STUBBORN
PET PEEVE: NOT CATCHING ANYTHING

PASSATEMPO PREFERITO: SDRAIARSI VICINO ALLO SCALDABAGNO A GAS
CIBO PREFERITO: PASTA FATTA A MANO, CARNE, VERDURE
GIOCATTOLO PREFERITO: IL GIARDINO

FAVOURITE PASTIME: LYING NEXT TO THE BATHROOM HEATER
FAVOURITE FOODS: HOMEMADE PASTA, MEAT AND VEGETABLES
FAVOURITE TOY: THE GARDEN

NEVE

FIDELI

CIBO PREFERITO: POLLO, FORMAGGIO
COSE CHE LA INFASTIDISCONO: ESSERE A DIETA
COMPLICI: ELSA, JACK, FALCON E ZIMBA
FAVOURITE FOODS: CHICKEN AND CHEESE
PET PEEVE: BEING ON A DIET
KNOWN ACCOMPLICES: ELSA, JACK, FALCON AND ZIMBA

CIBO PREFERITO: CAROTE, MELE
BRUTTO VIZIO: ABBAIARE
COSE CHE LA INFASTIDISCONO: LE MOSCHE

FAVOURITE FOODS: CARROTS AND APPLES
NAUGHTIEST DEED: BARKING
PET PEEVE: FLIES

GHIRA

SCILLA

PASSATEMPO PREFERITO: ANDARE A CACCIA DI LUCERTOLE
COSE CHE LA INFASTIDISCONO: ESSERE CHIUSA IN CASA
COMPLICI: NOVELLA E LUCREZIA MAZZEI

FAVOURITE PASTIME: LOOKING FOR LIZARDS
PET PEEVE: BEING LOCKED IN THE HOUSE
KNOWN ACCOMPLICES: NOVELLA AND LUCREZIA MAZZEI

CIBO PREFERITO: LA PASTA
BRUTTO VIZIO: ESSERE PERMALOSA
COMPLICI: IL GATTO DI JOSE

FAVOURITE FOOD: PASTA
NAUGHTIEST DEED: BEING TOUCHY
KNOWN ACCOMPLICE: JOSE'S CAT

BIRBA

JANÒS

PASSATEMPO PREFERITO: FARE IL BAGNO IN PISCINA
BRUTTO VIZIO: ROMPERE I GIOCHI DEI BIMBI
COSE CHE LO INFASTIDISCONO: I FUOCHI D'ARTIFICIO

FAVOURITE PASTIME: TAKING A BATH IN THE POOL
NAUGHTIEST DEED: BREAKING THE KIDS' TOYS
PET PEEVE: FIREWORKS

PASSATEMPO PREFERITO: ANDARE A
CACCIA SENZA IL CACCIATORE
CIBO PREFERITO: POLLO
COSE CHE LA INFASTIDISCONO:
I FUOCHI D'ARTIFICIO

FAVOURITE PASTIME: GOING HUNTING
WITHOUT THE HUNTERS
FAVOURITE FOOD: CHICKEN
PET PEEVE: FIREWORKS

BRANCA

CIBO PREFERITO: CROCCANTINI E RISO
PASSATEMPO PREFERITO:
ANDARE IN MACCHINA
COMPLICI: MARINA

FAVOURITE FOOD: DRY FOOD AND RICE
FAVOURITE PASTIME: GOING IN THE CAR
KNOWN ACCOMPLICE: MARINA

PEPE

PASSATEMPO PREFERITO: DORMIRE IN PIAZZA
BRUTTO VIZIO: FARE IL BAGNO NEL FANGO
COSE CHE LA INFASTIDISCONO:
LE FACCENDE DOMESTICHE

FAVOURITE PASTIME: SLEEPING IN THE SQUARE
NAUGHTIEST DEED: HAVING A MUD BATH
PET PEEVE: HOUSE CLEANING

MARINA

LUCA AKA CICLOPE

CIBO PREFERITO: I BISCOTTI
GIOCATTOLO
PREFERITO: LE NOCI
PEGGIOR MISFATTO:
AVER UCCISO DUE ISTRICI

FAVOURITE FOOD: COOKIES
FAVOURITE TOY: WALNUTS
NAUGHTIEST DEED: KILLING TWO PORCUPINES

CIBO PREFERITO: I BISCOTTI "ABBRACCI"
BRUTTO VIZIO: ENTRARE SEMPRE IN UFFICIO
COSE CHE LA INFASTIDISCONO: I CLIENTI CHE NON COMPRANO IL VINO

FAVOURITE FOOD: "ABBRACCI" SWEET BISCUITS
NAUGHTIEST DEED: GOING INTO THE OFFICE
PET PEEVE: CUSTOMERS THAT DON'T BUY WINE

LUNA

ANDY

CIBO PREFERITO: IL PESCE
GIOCATTOLO PREFERITO: LE SCARPE DI MARCO
COMPLICI: BATGIRL
PASSATEMPO PREFERITO: ESSERE L'OMBRA DI MARCO

FAVOURITE FOOD: FISH
FAVOURITE TOYS: MARCO'S SHOES
KNOWN ACCOMPLICE: BATGIRL
FAVOURITE PASTIME: BEING MARCO'S SHADOW

CHICHINA

PASSATEMPO PREFERITO: DARE FASTIDIO A CHICA
BRUTTO VIZIO: IN AUTO, SI NASCONDE
SOTTO IL SEDILE DEL CONDUCENTE
COSE CHE LA INFASTIDISCONO: LE GALLINE

FAVOURITE PASTIME: PICKING ON CHICA
NAUGHTIEST DEED: HIDING UNDER THE DRIVER'S SEAT
PET PEEVE: CHICKENS

PASSATEMPO PREFERITO: ANDARE NEI CAMPI
BRUTTO VIZIO: ENTRARE IN CASA
COSE CHE LA INFASTIDISCONO: LE GENTE CHE URLA

FAVOURITE PASTIME: BEING IN THE FIELDS
NAUGHTIEST DEED: GOING INSIDE THE HOUSE
PET PEEVE: PEOPLE SHOUTING

CHICA

OSCAR

CIBO PREFERITO: IL POLLO
COSE CHE LO INFASTIDISCONO: I MOTORINI
BRUTTO VIZIO: APRIRE LA PORTA SENZA RICHIUDERLA

FAVOURITE FOOD: CHICKEN
PET PEEVE: SCOOTERS
NAUGHTIEST DEED: OPENING
THE DOOR AND NOT CLOSING IT

TENUTA DI VALGIANO LUCCA, TOSCANA | PASTORE MAREMMANO X, 1 | PROPRIETARIA: MARA PETRINI

PASSATEMPO PREFERITO: ASCOLTARE LA MUSICA
CIBO PREFERITO: IL RISO E LA CARNE
GIOCATTOLO PREFERITO: L'OSSO DI GOMMA

FAVOURITE PASTIME: LISTENING TO MUSIC
FAVOURITE FOODS: RICE AND MEAT
FAVOURITE TOY: RUBBER BONE

MOLLY

LAVINIA

PASSATEMPO PREFERITO: FISSARE
CIBO PREFERITO: L'OSSO DELLA BISTECCA
COSE CHE LA INFASTIDISCONO: I GATTI

FAVOURITE PASTIME: STARING
FAVOURITE FOOD: STEAK BONE
PET PEEVE: CATS

PASSATEMPO PREFERITO: FISSARE
CIBO PREFERITO: L'OSSO DELLA BISTECCA
COSE CHE LA INFASTIDISCONO: I GATTI

FAVOURITE PASTIME: STARING
FAVOURITE FOOD: STEAK BONE
PET PEEVE: CATS

FAX

CIBO PREFERITO: LA CARNE DI CAVALLO E LA FRUTTA
BRUTTO VIZIO: RICOPRIRSI DELLA CENERE DEL
CAMINO E POI SALIRE SUI MOBILI
PASSATEMPO PREFERITO: INFILARE IL
MUSO NELLE BORSE DELLE SIGNORE

FAVOURITE FOODS: HORSE MEAT AND FRUIT
NAUGHTIEST DEED: COVERING HIMSELF IN ASHES FROM
THE FIREPLACE THEN GETTING ON THE FURNITURE
FAVOURITE PASTIME: PUTTING HIS NOSE INTO LADIES' HANDBAGS

OTTO

CA' DEL BOSCO, BRESCIA, LOMBARDIA | BULL TERRIER, 3 MESI | PROPRIETARI: ANNA E SEBASTIAAN

GIOCATTOLO PREFERITO: LE SCARPE
DELLA FIGLIA DI MAURIZIO
CIBO PREFERITO: LA PASTA AL POMODORO
BRUTTO VIZIO: DORMIRE SUL LETTO DEGLI ALTRI

FAVOURITE TOYS: MAURIZIO'S DAUGHTER'S SHOES
FAVOURITE FOOD: PASTA WITH TOMATO
NAUGHTIEST DEED: SLEEPING ON BEDS

CIRCE

PROPRIETARIO: MAURIZIO ZANELLA | SHAR-PEI, 4 | CA' DEL BOSCO BRESCIA, LOMBARDIA

CIBO PREFERITO: BISTECCA, CROCCANTINI
BRUTTO VIZIO: SORPRENDERE ELENA QUANDO È NASCOSTA TRA I SUOI GIOCATTOLI
COSE CHE LA INFASTIDISCONO: QUANDO UN ALTRO CANE GLI RUBA IL CUSCINO

FAVOURITE FOODS: STEAK AND DRY DOG FOOD
NAUGHTIEST DEED: SURPRISING ELENA WHEN HIDING AMONGST HER TOYS
PET PEEVE: WHEN ANOTHER DOG STEALS HER CUSHION

PASSATEMPO PREFERITO:
ESSERE ACCAREZZATA SULLA PANCIA
BRUTTO VIZIO: SALTARE ADDOSSO ALLE PERSONE SDRAIATE SUL LETTO
COSE CHE LA INFASTIDISCONO: ESSERE LAVATA

FAVOURITE PASTIME: HAVING HER TUMMY RUBBED
NAUGHTIEST DEED: JUMPING ON PEOPLE IN BED
PET PEEVE: BEING WASHED

MEDEA

PASSATEMPO PREFERITO: APRIRE LE PORTE
CIBO PREFERITO: QUALSIASI COSA,
PERSINO I FAZZOLETTI DI CARTA
GIOCATTOLO PREFERITO: I BAMBINI
CATTIVO VIZIO: ABBAIARE LA MATTINA

FAVOURITE PASTIME: OPENING DOORS
FAVOURITE FOOD: EVERYTHING INCLUDING TISSUES
FAVOURITE TOYS: THE KIDS
NAUGHTIEST DEED: BARKING IN THE MORNING

PENELOPE

RHODA

CIBO PREFERITO: IL PANE
BRUTTO VIZIO: ABBAIARE AI VISITATORI
COSE CHE LA INFASTIDISCONO: I RUMORI FORTI
PASSATEMPO PREFERITO: GIOCARE CON GLI ALTRI CANI

FAVOURITE FOOD: BREAD
NAUGHTIEST DEED: BARKING AT VISITORS
PET PEEVE: LOUD NOISES
FAVOURITE PASTIME: PLAYING WITH THE OTHER DOGS

SPARK

CIBO PREFERITO: IL FORMAGGIO
CATTIVO VIZIO: MODERE IL SEDERE DI CRAIG IL FOTOGRAFO
COSE CHE LO INFASTIDISCONO: I VISITATORE CHE SONO VESTITI MALE

FAVOURITE FOOD: CHEESE
NAUGHTIEST DEED: BITING CRAIG
THE PHOTOGRAPHER ON THE BOTTOM
PET PEEVE: BADLY DRESSED VISITORS

CIBO PREFERITO: LE QUAGLIE
BRUTTO VIZIO: RUBARE IL CIBO
COSE CHE LA INFASTIDISCONO:
I GATTI CHE PASSANO IN GIARDINO

FAVOURITE FOOD: QUAIL
NAUGHTIEST DEED: STEALING FOOD
PET PEEVE: CATS CROSSING THE GARDEN

GRÄFIN

PROPRIETARIO: RICCARDO RICCI CURBASTRO | BRACCHI DI WEIMAR, 4 MESI, 6 ANNI | RICCI CURBASTRO, BRESCIA, LOMBARDIA   91

I MIEI CANI DA CACCIA

di Riccardo Ricci Curbastro

SONO LETTERALMENTE CRESCIUTO IN MEZZO AI CANI DA CACCIA: perlopiù bracchi tedeschi, e qualche setter inglese. Compagni di giochi durante l'infanzia, compagni di caccia per tutta una vita. I ricordi più belli cominciano in tenera età: durante i tragitti di ritorno dalle battute di caccia con mio padre Gualberto e mio nonno Aurelio, mi era consentito messo viaggiare nel baule della familiare (macchina piuttosto rara per l'Italia di quegli anni), insieme ai bracchi, esausti per gli sforzi venatori. I corpi snelli di Ala, Alba, Arno e Bria erano i cuscini più soffici che un bambino potesse desiderare. Ricordo poi tre o quattro dei nostri cani, regolarmente sdraiati sotto tavolini e mensole nella grande sala da pranzo di Villa Evelina, parevano sonnecchiare, totalmente ignari di ogni evento che accadeva attorno a loro. Ma bastava che mio padre ripiegasse il tovagliolo, preparandosi a lasciare la tavola, e i cani scattavano in piedi. Fingevano forse di dormire? O possedevano un sesto senso? Un atteggiamento che ricorda molto le osservazioni di Konrad Lorenz sul comportamento dei suoi cani ogni volta che si accingeva ad uscire dal proprio studio.

Conservo un ricordo vivido di ogni cane che ho avuto. Gräfin, la mia prima weimaraner, un regalo a sorpresa per i miei tre figli. In una fredda giornata di dicembre, appena prima di Natale io e mio padre andammo a ritirarla presso un allevamento in Toscana: portamento elegante, sembrava non essere affatto intimidita, quasi sorridente mentre si accoccolava nel cesto che avevo preparato per lei; poi, prese ad osservarci con curiosità. Il viaggio di ritorno per la Franciacorta non fu certo breve, eppure Gräfin rimase tranquilla, persino durante la sosta al ristorante, riposando sotto il tavolo nel suo cesto, come se fosse stato il suo giaciglio da sempre. Socievole eppure aristocratica, figlia di una nobiltà antica, tenne fede al proprio nome, che in tedesco vuol dire contessa.

Spark oggi ha meno di un anno. Fin dal suo arrivo, ha mostrato un entusiasmo e un istinto venatorio che non avevo mai visto in un cucciolo tanto giovane. Ad appena quattro mesi, prese a seguirci a caccia. Infaticabile, sgambava dietro i veterani della muta, certo per provare a capire cosa stesse succedendo, dove portasse tutto quel correre. Al suo secondo giorno di caccia, lo ricordo avvicinarsi a me, testa alta, una quaglia in bocca: probabilmente si trattava dell'esemplare che avevamo ferito poco prima, e pensavamo di aver perduto. Istintivamente, me la riportò: è un compito scritto nel suo DNA, che svolge all'interno della muta cercando alacremente, seppure ci sia stato bisogno dell'addestramento per sfruttare appieno le sue inclinazioni e qualità venatorie.

Sly è oggi l'unico setter inglese della brigata; ombra di mia madre Emma, la padrona ufficiale, che non abbandona per nessun altro motivo che non sia venire a caccia con me. Quest'anno, poco prima dell'inizio della stagione venatoria, appena dopo aver realizzato gli scatti per questo libro, Sly è stato investito da un'auto. Quando l'ho visto stramazzato al suolo, ho temuto che ci lasciasse.

MY HUNTING DOGS

by Riccardo Ricci Curbastro

I LITERALLY GREW UP AMONGST HUNTING DOGS – most of them German short-haired pointers and English setters. They were always playground companions during my childhood and my sweetest memories of them date back to when I was very young. During the long return home from hunting with my father, Gualberto, and my grandfather, Aurelio, I was allowed to travel in the trunk of our estate car (quite a rare vehicle back in those days), together with the exhausted pointers. I would lean on Ala, Alba, Arno and Bria as their slender bodies made the softest pillows. I also remember three or four dogs lying under the big dining-room table at Villa Evelina, apparently asleep and unaware of what was going on around them – that was until my father folded his napkin and prepared to leave the table. They immediately stood to attention. Were they faking sleep or was it a sixth sense? It reminds me of Konrad Lorenz's observations on his dog's behaviour whenever he stepped out of his studio.

I have vivid memories of every dog I've owned. Gräfin is my first weimaraner and a surprise present for my three children. One cold December day, shortly before Christmas, my dad and I went to pick her up at a Tuscan kennel – she was elegant, fearless and almost smiled as she curled up in the basket I had prepared and then curiously started to observe us. We had a long trip back to Franciacorta – yet she remained quiet all the way, even during our lunch break at a restaurant where she sat silently in her basket under the table. Gräfin means countess in German and, as her name suggests, she is quite aristocratic in nature. We knew we had found a special dog.

Our other weimaraner, Spark, is less than one year old. Since his arrival, he's shown incredible enthusiasm and keen hunting instincts that I have never seen before in such a young pet. At four months old he started following us hunters. He would run relentlessly after the 'veterans' in the pack – most likely just to get an idea of what was happening. On his second day of hunting, I recall Spark coming towards me with his head held high, proudly displaying a quail in his mouth – probably the bird we had just wounded but thought we'd lost. He had instinctively retrieved it for me. He's a natural retriever, supporting the pack by searching and retrieving game – though he still needs a little bit of training to harness his natural proclivity to hunting.

Sly is currently the only setter in the pack and he is my mother Emma's shadow – she is his official owner and he never leaves her side unless it's to join me for a hunt. This year, just before the beginning of the season, Sly was run over by a car. When I saw him on the ground I thought he was going to die. I told him to hold on as I picked him up and raced him to the vet. Throughout the long car trip to the clinic, I tried to cheer him up, talking incessantly about game adventures. Two operations and a hip reconstruction saved his life. But after months of therapy he would still limp, due to a weak hind leg. Nothing seemed to rehabilitate him completely. Then it dawned on me: let's go out for a hunt.

Durante la lunga corsa in macchina verso il veterinario, gli dicevo di non mollare, distraendolo con aneddoti di caccia, parlando dolcemente e senza sosta. Due operazioni, ricostruzione dell'anca, ebbe salva la vita. Mesi e mesi di terapia, eppure sembrava non riuscire a smettere di zoppicare con una zampa posteriore, procedeva "a tre". Allora, decisi di giocare il tutto per tutto e lo portai a caccia. Su per un sentiero di montagna, che avrebbe messo in difficoltà il più sano dei cani. Per un paio d'ore, corse su tre zampe, fin quando il suo naso acutissimo non fiutò una starna. La ferma, impeccabile, muso in alto, coda dritta, il bacino lievemente abbassato. Fremette nell'attesa: poi il frullo, il colpo, e Sly scattò al ricupero per il riporto, con tutte e quattro le zampe. Non credevo ai miei occhi.

Nei mesi seguenti, ha alternato comunque l'andatura normale con quella a tre. Oggi, il terribile incidente sembra solo un brutto ricordo, e Sly corre con naturalezza. Vittoria della passione venatoria sui limiti psicologici autoimposti? Penso si possa dire così: se funziona per noi uomini, perché non dovrebbe per i nostri migliori amici a quattro zampe?

RICCARDO RICCI CURBASTRO È PRESIDENTE DI FEDERDOC, E TITOLARE DELL'AZIENDA IN FRANCIACORTA CHE PORTA IL SUO NOME.

We climbed up a steep mountain track that would challenge even the healthiest dog. He had to run for a couple of hours on three legs – then his keen nose sensed a partridge. He froze impeccably, nose up, tail erect, pelvis slightly lowered. His whole body tensed in anticipation and then the hop and the shot. Sly darted to retrieve the game on all four paws. I could hardly believe my own eyes!

Thereafter, he repeatedly rotated between normal gait and limping on three legs. Finally he appears to have forgotten the terrible accident and runs normally. Perhaps a victory of passion for his hunting over his psychological limitations? I think so – if it works for us humans, why not for our best friends?

RICCARDO RICCI CURBASTRO IS PRESIDENT OF FEDERDOC AND OWNER OF HIS SELF-TITLED ESTATE IN FRANCIACORTA.

CIBO PREFERITO: LA SCORZA DEL FORMAGGIO
PEGGIOR MISFATTO: AVER MESSO LA SUA PALLINA
SPORCA NELLA BORSA DI UNA DONNA
COMPLICI: CHIUNQUE ABBIA UNA PIGNA DA LANCIARE

FAVOURITE FOOD: CHEESE SKINS
NAUGHTIEST DEED: DROPPING HIS WET BALL IN A LADY'S PURSE
KNOWN ACCOMPLICE: ANYONE WHO HAS A PINECONE

NAPO

BIRILLO

PASSATEMPO PREFERITO:
ANDARE ALLA RICERCA DI 'FIDANZATINE'
CIBO PREFERITO: IL TACCHINO
BRUTTO VIZIO: ULULARE DURANTE LA NOTTE
COMPLICI: I BAMBINI

FAVOURITE PASTIME: LOOKING FOR GIRLFRIENDS
FAVOURITE FOOD: TURKEY
NAUGHTIEST DEED: HOWLING DURING THE NIGHT
KNOWN ACCOMPLICES: KIDS

PASSATEMPO PREFERITO: RUBARE LE COSE DEGLI ALTRI
BRUTTO VIZIO: FARE BUCHE NEL PRATO INGLESE
COSE CHE LO INFASTIDISCONO: FARSI PULIRE

FAVOURITE PASTIME: STEALING THINGS FROM OTHERS
NAUGHTIEST DEED: DIGGING HOLES IN THE ENGLISH LAWN
PET PEEVE: BEING CLEANED

TIAGO

PASSATEMPO PREFERITO: ANDARE A CACCIA DI CINGHIALI
CIBO PREFERITO: TUTTO QUELLO CHE NON DOUREBBE MANGIARE
BRUTTO VIZIO: ANDARE A CACCIA DI CERVI
COSE CHE LA INFASTIDISCONO: FARSI TAGLIARE LE UNGHIE

FAVOURITE PASTIME: CHASING WILD BOAR
FAVOURITE FOOD: ANYTHING SHE'S NOT ALLOWED
NAUGHTIEST DEED: CHASING DEER
PET PEEVE: HAVING HER NAILS CUT

UVA

GIOCATTOLO PREFERITO: LE PANTOFOLE DI FRANCESCA
CIBO PREFERITO: LE UOVA
BRUTTO VIZIO: SCAPPARE
COSE CHE LO INFASTIDISCONO: GLI ALTRI CANI

FAVOURITE TOYS: FRANCESCA'S SLIPPERS
FAVOURITE FOOD: EGGS
NAUGHTIEST DEED: ESCAPING
PET PEEVE: OTHER DOGS

TAPPO

RUDY

CIBO PREFERITO: GELATO, PIZZA
BRUTTO VIZIO: MANGIARE LA CARTA
COSE CHE LO INFASTIDISCONO: I RUMORI FORTI
COMPLICI: CARLA E GIORGIO

FAVOURITE FOODS: GELATI AND PIZZA
NAUGHTIEST DEED: EATING PAPER
PET PEEVE: LOUD NOISES
KNOWN ACCOMPLICES: CARLA AND GIORGIO

PASSATEMPO PREFERITO:
RUBARE IL CIBO DALLA CUCINA
COSE CHE LA INFASTIDISCONO:
NON ESSERE AL CENTRO DELL'ATTENZIONE
COMPLICI: I GATTI DI SABINA

FAVOURITE PASTIME: STEALING FOOD FROM THE KITCHEN
PET PEEVE: NOT BEING THE CENTRE OF ATTENTION
KNOWN ACCOMPLICES: THE CATS OF SABINA

GALA

HASSO

PASSATEMPO PREFERITO: MANGIARE E DORMIRE
COSE CHE LO INFASTIDISCONO: L'ACQUA E LE PALLINE
COMPICI: LA FAMIGLIA HUBER E TINA

FAVOURITE PASTIMES: EATING AND SLEEPING
PET PEEVES: WATER AND BALLS
KNOWN ACCOMPLICES: THE HUBER FAMILY AND TINA

PASSATEMPO PREFERITO: GIOCARE CON LUPO
BRUTTO VIZIO: ROSICCHIARE LA PLASTICA
COSE CHE LA INFASTIDISCONO: LE MACCHINE
COMPLICI: LUPO

FAVOURITE PASTIME: PLAYING WITH LUPO
NAUGHTIEST DEED: CHEWING PLASTIC
PET PEEVE: MACHINERY
KNOWN ACCOMPLICE: LUPO

MOLLY

PASSATEMPO PREFERITO: RINCORRERE WHIPPY
COSE CHE LO INFASTIDISCONO: I GIORNI DI FREDDO
COMPLICI: WHIPPY

FAVOURITE PASTIME: CHASING WHIPPY
PET PEEVE: COLD DAYS
KNOWN ACCOMPLICE: WHIPPY

PASSATEMPO PREFERITO: CORRERE ALL'IMPAZZATA
COSE CHE LO INFASTIDISCONO: CIBO SCADENTE
COMPLICI: ARTÙ

FAVOURITE PASTIME: RUNNING FAST
PET PEEVE: BAD FOOD
KNOWN ACCOMPLICE: ARTÙ

WHIPPY

NIURA

PASSATEMPO PREFERITO:
SDRAIARSI UN PÒ DAPPERTUTTO
COSE CHE LA INFASTIDISCONO:
I CANI DEI VICINI QUANDO ABBAIANO
GIOCATTOLO PREFERITO: BOBO

FAVOURITE PASTIME: LAYING AROUND
PET PEEVE: THE NEIGHBOUR'S DOGS BARKING
FAVOURITE TOY: BOBO

PASSATEMPO PREFERITO:
GUARDARE L'ORIZZONTE
BRUTTO VIZIO: SCAPPARE
COSE CHE LO INFASTIDISCONO:
LA PRESENZA DI ESTRANEI IN CASA

FAVOURITE PASTIME: STARING AT THE HORIZON
NAUGHTIEST DEED: RUNNING AWAY
PET PEEVE: STRANGERS IN THE HOUSE

TAI

SYRAH, OVVERO L'ARTE DI SCEGLIERE IL NOME GIUSTO PER IL PROPRIO CANE

di Giulio Parentini

MALGRADO L'OTTIMA VENDEMMIA 2001, mi sentivo triste e solo; mia sorella mi suggerì: "prenditi un cane, ché ti fa compagnia". Dato che si trattava del mio primo cane, pensai che preferivo adottare, piuttosto che acquistarne uno in allevamento. Giunto al canile, rimasi sorpreso dall'ampia scelta: non solo meticci, ma anche cani di razza pura, come husky, pastori maremmani, pastori tedeschi e diversi altri. Scelta troppo difficile: mi feci aiutare dal personale del canile, che mi consigliò una femmina, metà Labrador e metà pastore belga.

Scelta facile, invece, fu quella del nome – mi bastò guardare quel batuffolo di pelo nero, e venne spontaneo: 'Syrah!' Un vitigno di importanza chiave per la nostra azienda, bisognoso di cure, e particolarmente caro a mio padre; lo impieghiamo nella produzione del nostro vino di punta. Il nome Syrah, dunque, era un buon punto di partenza per introdurre la cucciolotta in famiglia (ora l'intero clan ne è follemente innamorato).

Syrah ed io siamo molto legati, eppure lei è molto indipendente. Secondo il mi' babbo, è una bestia molto intelligente; dice che sono davvero fortunato, dato che non ripone grande fiducia nelle mie doti di addestratore cinofilo. Syrah si è ambientata molto bene nella 'sua' nuova proprietà, diventando presto la mascotte dell'azienda; figuriamoci, è sempre pronta a far feste a tutti i visitatori, prima ancora che scendano dall'auto!

Dimenticavo: spesso porta qualcosa in bocca. Sassi, pezzi di legno, a volte persino foglie. Non si tratta di regali di cortesia, però: spera sempre che le lanci qualcosa – qualunque cosa – che possa inseguire. Ancora deve imparare, però, a mollare l'oggetto dopo il riporto...

Il nostro cane è un complemento eccezionale, complesso e bellissimo, alla vita di tutti I giorni. Come dire: Syrah, di nome e di fatto.

GIULIO PARENTINI È RESPONSABILE DELLE ESPORTAZIONI PER MORISFARMS, LA TENUTA TOSCANA DOVE LUI E SUO PADRE ADOLFO SI DEDICANO CON PASSIONE A PRODURRE UN ECCELLENTE SYRAH.

THE ART OF CHOOSING
THE RIGHT NAME FOR YOUR DOG

by Giulio Parentini

DESPITE THE GREAT HARVEST OF 2001, I was feeling sad and lonely, so my sister suggested getting a dog to keep me company. Being a first-time dog-owner, I thought I'd rather adopt from a shelter than buy one from a breeder. When I arrived at the shelter I was surprised to see the many different breeds from mongrels to purebreds – huskies, pastori maremma, German shepherds and many others. The choice was difficult, so the staff at the dog shelter suggested I take a female – half labrador and half Belgian shepherd.

Choosing her name was quite easy and it came to me immediately I saw that tiny ball of black fur – Syrah! The syrah grape is very important to our company, very delicate and very dear to my Dad's heart and we use it to produce our top wine. So naming our dog Syrah was a great way to introduce her to the family. Now the whole family is in love with Syrah.

Although she is very independent, Syrah and I have become best friends. Dad says she's very smart, and I'm quite lucky, as he doubted that I could be such a good dog trainer! Syrah has adjusted quite well to her new environment and has become the company mascot, warmly greeting all visitors to the winery on their arrival.

Quite often, she brings something in her mouth – a stone, a piece of wood, or just a leaf in an attempt to get someone to play with her. She loves chasing any object that can be thrown but has not yet learned to return it. Our dog is a wonderful, complex and beautiful addition to our family – Syrah by name, syrah by nature.

GIULIO PARENTINI IS IN CHARGE OF EXPORTS AT MORISFARMS – THE TUSCAN PROPERTY WHERE HE AND HIS FATHER ADOLFO CONCENTRATE ON PRODUCING HIGH-QUALITY SYRAH.

SYRAH

PASSATEMPO PREFERITO: ABBAIARE
AI CINGHIALI E INSEGUIRE LE LUCERTOLE
CIBO PREFERITO: I GRISSINI E I CRACKERS
COSE CHE LO INFASTIDISCONO:
NON SOPPORTA ESSERE LAVATA

FAVOURITE PASTIMES: BARKING AT
WILD BOAR AND FOLLOWING LIZARDS
FAVOURITE FOODS: GRISSINI AND CRACKERS
PET PEEVE: GETTING WASHED

PASSATEMPO PREFERITO: DORMIRE
E FARE FINTA DI ESSERE UN IPPOPOTAMO
BRUTTO VIZIO: MANGIARE IL TELEFONO
COSE CHE LO INFASTIDISCONO:
PORTARGLI VIA LA SUA PALLINA

FAVOURITE PASTIMES: SLEEPING
AND IMPERSONATING A HIPPO
NAUGHTIEST DEED: EATING THE TELEPHONE
PET PEEVE: THE SQUEAKY BALL BEING TAKEN

BALÚ

PASSATEMPO PREFERITO: DORMIRE SOTTO
LA SCRIVANIA E SOPRA I PIEDI DELLA PADRONA
BRUTTO VIZIO: CORRERE DIETRO ALLE BICICLETTE
COSE CHE LA INFASTIDISCONO: I BAMBINI

FAVOURITE PASTIME: SLEEPING UNDER
THE DESK AT THE BOSS'S FEET
NAUGHTIEST DEED: CHASING CYCLISTS
PET PEEVE: KIDS

BICE

PASSATEMPO PREFERITO: DISTRUGGERE LE PALLINE DI GOMMA
COSE CHE LO INFASTIDISCONO: GLI ALTRI CANI MASCHI
GIOCATTOLO PREFERITO: QUALSIASI GIOCATTOLO DI GOMMA

FAVOURITE PASTIME: DESTROYING RUBBER BALLS
PET PEEVE: BOY DOGS
FAVOURITE TOY: ANYTHING RUBBER

OLIVER

BRUTTO VIZIO: MANGIARE LE SCARPE DI IVANA
COSE CHE LO INFASTIDISCONO: I RUMORI
GIOCATTOLO PREFERITO: GLI ANIMALI DI GOMMA

NAUGHTIEST DEED: EATING IVANA'S SHOES
PET PEEVE: LOUD NOISES
FAVOURITE TOY: RUBBER ANIMALS

MILO

PASSATEMPO PREFERITO: CAMMINARE NEI VIGNETI
BRUTTO VIZIO: SCAPPARE DI CASA
COMPLICI: MILO

FAVOURITE PASTIME: WALKING IN THE VINEYARDS
NAUGHTIEST DEED: RUNNING AWAY FROM HOME
KNOWN ACCOMPLICE: MILO

CEDRIC

VIN DI BRANDOLINA:
LA STORIA DI BRANDO
di Roberto Felluga

BRANDO È UN CANE INFATICABILE e molto socievole. A dispetto dell'età, e di qualche acciacco, è sempre pronto ad accompagnare i lavoratori in campagna. Supervisore attento della vendemmia, scorazza tra i filari e, di tanto in tanto, abbaia per unirsi alle loro chiacchiere.

Durante la pausa pranzo, Brando si aggira scondinzolando con occhi languidi, elemosinando bocconi delle loro sostanziose merende. Dopo pranzo, mentre qualcuno si ristora con il caffè del thermos, Brando si concede un pisolino all'ombra di un ulivo nei pressi di una vigna. Mentre sonnecchia, osserva la fila dei vendemmiatori che tornano all'opra.

La vigna più vicina all'ulivo è il buen retiro di Brando dal solleone afoso delle giornate estive. Per questa ragione, in suo onore l'abbiamo ribattezzata Vigna Brandolina.

ROBERTO FELLUGA, INSIEME AD ALESSANDRA FELLUGA, DIRIGE L'AZIENDA DI FAMIGLIA, MARCO FELLUGA, PERPETAUANDO UNA GRANDE TRADIZIONE FAMILIARE NEL MONDO DEL VINO CON IMPEGNO E PASSIONE.

WINE FROM THE BRANDOLINA:
THE STORY OF BRANDO
by Roberto Felluga

BRANDO IS A VERY FRIENDLY and energetic dog. In spite of his age and aches, he always accompanies the workers on the farm. He oversees harvest attentively, roaming through the vineyard rows and occasionally barking to join in the workers' conversations.

During the lunch break, Brando goes around wagging his tail, begging for morsels with languid eyes. After lunch, while the workers enjoy a refreshing coffee, Brando takes a nap in the shade of an olive tree at a nearby vineyard. While dozing, he can be seen squinting in the sun, searching for the parade of harvesters resuming their activity.

The vineyard closest to the olive tree is one of Brando's favourite places to escape the heat of sultry summer days. In Brando's honour, we have now renamed the vineyard – Brandolina.

ROBERTO FELLUGA, ALONG WITH ALESSANDRA FELLUGA, DIRECTS THE FAMILY FIRM, MARCO FELLUGA, AND CONTINUES THE GREAT FAMILY TRADITION IN THE WORLD OF WINE WITH BOTH COMMITMENT AND PASSION.

PASSATEMPO PREFERITO: GIOCARE CON BOBBY
CIBO PREFERITO: LA CARNE MACINATA FRESCA
BRUTTO VIZIO: ABBAIARE
COSE CHE LO INFASTIDISCONO: I GATTI

FAVOURITE PASTIME: PLAYING WITH BOBBY
FAVOURITE FOOD: FRESH MINCED MEAT
NAUGHTIEST DEED: BARKING
PET PEEVE: CATS

BRANDO

PASSATEMPO PREFERITO: GIOCARE CON BRANDO
BRUTTO VIZIO: RINCORRERE I GATTI
COSE CHE LO INFASTIDISCONO: I GATTI
COMPLICI: BRANDO

FAVOURITE PASTIME: PLAYING WITH BRANDO
NAUGHTIEST DEED: CHASING CATS
PET PEEVE: CATS
KNOWN ACCOMPLICE: BRANDO

BOBBY

BRUTTO VIZIO: ABBAIARE ALLE
PERSONE ARRABBIATE
PASSATEMPO PREFERITO: GIOCARE
CON I BAMBINI E FARE IL BAGNO
NAUGHTIEST DEED: BARKING AT ANNOYING PEOPLE
FAVOURITE PASTIMES: PLAYING WITH THE KIDS AND TAKING A BATH

ANGIE

PROPRIETARIA: MARILISA ALLEGRINI | VOLPINO DELLA POMERANIA, 6 | **ALLEGRINI** VERONA, VENETO | 119

DICK

PASSATEMPO
PREFERITO:
ANDARE A CACCIA
COSE CHE LO
INFASTIDISCONO:
I RUMORI IMPROVVISI

FAVOURITE PASTIME: HUNTING
PET PEEVE: UNEXPECTED NOISES

BRUTTO VIZIO: INSOFFERENZA
DELL'OBIETTIVO
CIBO PREFERITO: EUKANUBA

NAUGHTIEST DEED:
BEING CAMERA SHY
FAVOURITE FOOD:
EUKANUBA

RAF

GIOCATTOLO PREFERITO: L'OSSO
PASSATEMPO PREFERITO: ANDARE A CACCIA
COSE CHE LO INFASTIDISCONO: I RUMORI IMPROVVISI
COMPLICI: RAF E DICK

FAVOURITE TOY: BONE
FAVOURITE PASTIME: HUNTING
PET PEEVE: UNEXPECTED NOISES
KNOWN ACCOMPLICES: RAF AND DICK

TIM

OLIVIA

BRUTTO VIZIO: ABBAIARE
PASSATEMPO PREFERITO: MANGIARE MOLTO E FARSI COCCOLARE
COSE CHE LA INFASTIDISCONO: FARE LA DIETA

NAUGHTIEST DEED: BARKING
FAVOURITE PASTIMES: EATING A LOT AND CUDDLING
PET PEEVE: ENFORCED DIETS

PASSATEMPO PREFERITO: *PRENDERE IL SOLE*
BRUTTO VIZIO: *FARE LA PIPÌ SUL TAPPETO*
COSE CHE LA INFASTIDISCONO: *QUANDO ESCE "PAPA"*

FAVOURITE PASTIME: *SUNBATHING*
NAUGHTIEST DEED: *PEEING ON THE CARPET*
PET PEEVE: *WHEN DAD GOES OUT*

RIBOLLA

ANNA COLLAVINI

PASSATEMPO PREFERITO: LA CUCINA E IL GIARDINAGGIO
CIBO PREFERITO: SPAGHETTI POMODORO E BASILICO
COSE CHE LA INFASTIDISCONO: LE PERSONE POCO GENTILI
GIOCATTOLO PREFERITO: IL TELEFONO

FAVOURITE PASTIMES: COOKING AND GARDENING
FAVOURITE FOOD: SPAGHETTI WITH TOMATO AND BASIL
DISLIKE: UNKIND PEOPLE
FAVOURITE TOY: THE TELEPHONE

CATEGORIA: ETICHETTA PIÙ ELEGANTE *Chi non ama l'effigie di un cane sull'etichetta di un vino – e perché una tale imagine non dovrebbe conquistare? Ogni azienda vinicola che si rispetti al mondo ha almeno un cane o due che si aggirano per la cantina o in vigna, probabilmente seguendo il* patron *passo a passo.*

Non deve stupire, perciò, che su molte etichette dei vini italiani di punta compaiano i nostri leali amici a quattro zampe. Uno dei miei preferiti è il Canlungo (mai nome fu più appropriato), un pinot grigio prodotto da Eugenio Collavini. Uno dei bassotti dall'aria più sagace che abbia mai visto fa bella mostra di sé al centro dell'etichetta. Sono certo che Olivia e Ribolla non mi darebbero torto.

BEST-DRESSED BOTTLE *Everyone loves a dog on a wine label – and why wouldn't they? Every decent winery in the world has a dog or two stalking around the cellar or the vineyard, probably following in the footsteps of the winemaker.*

So it is not surprising to see our loyal canine friends gracing many wonderful Italian wine labels. One particular favourite was Eugenio Collavini's pinot grigio aptly named 'Canlungo'– which is a dialect form of 'long dog'. One of the smartest-looking dachshunds we've seen stands centre stage on the label. I'm sure Olivia and Ribolla would agree.

BRUTTO VIZIO: FARE LA PIPÌ IN CASA
COSE CHE LA INFASTIDISCONO: I GATTI E LE PERSONE ESTRANEE
COMPLICI: VITTORIO E CARLOTTA

NAUGHTIEST DEED: PEEING INSIDE
PET PEEVES: CATS AND STRANGERS
KNOWN ACCOMPLICES: VITTORIO AND CARLOTTA

LILLI

DI LENARDO UDINE, FRIULI VENEZIA GIULIA | TERRIER X, 7 | PROPRIETARIO: MASSIMO DI LENARDO

PASSATEMPO PREFERITO: MANGIARE
BRUTTO VIZIO: ABBAIARE A TUTTI
COSE CHE LO INFASTIDISCONO: IL CAMPANELLO DELLA PORTA
FAVOURITE PASTIME: EATING
NAUGHTIEST DEED: BARKING AT EVERYBODY
PET PEEVE: THE DOOR BELL

ORESTE

RISCHIO

PASSATEMPO PREFERITO: ANDARE A CACCIA D'AMORE
BRUTTO VIZIO: DORMIRE FUORI
COSE CHE LO INFASTIDISCONO: ESSERE DISTURBATO MENTRE DORME
COMPLICI: ELENA E JERRY

FAVOURITE PASTIME: LOOKING FOR LOVE
NAUGHTIEST DEED: SLEEPING OUT
PET PEEVE: BEING WOKEN UP
KNOWN ACCOMPLICES: ELENA AND JERRY

PASSATEMPO PREFERITO: SEDERSI SUI PIEDI DEI CLIENTI
BRUTTO VIZIO: FAR INCIAMPARE IL PROPRIETARIO
COSE CHE LO INFASTIDISCONO: ESSERE LASCIATO SOLO IN CASA

FAVOURITE PASTIME: SITTING ON CLIENTS' FEET
NAUGHTIEST DEED: TRIPPING UP THE OWNER
PET PEEVE: BEING LEFT ALONE IN THE HOUSE

ACHILLE

ARIS

PASSATEMPO PREFERITO: FARE UNA PASSEGGIATA AL MARE
BRUTTO VIZIO: MANGIARE I TAPPETI
COSE CHE LO INFASTIDISCONO: ESSERE DISTURBATO DI NOTTE

FAVOURITE PASTIME: WALKING ON THE BEACH
NAUGHTIEST DEED: EATING CARPETS
PET PEEVE: BEING WOKEN UP AT NIGHT

PASSATEMPO PREFERITO: CACCIA ALLE LUCERTOLE
E COLAZIONE AL BAR DEL PAESE, "ALLA PESA"
BRUTTO VIZIO: ROSICCHIARE LE RUOTE DEL CARRELLO ELEVATORE
COSE CHE LO INFASTIDISCONO: I TEMPORALI

FAVOURITE PASTIMES: LIZARD HUNTING AND
BREAKFAST AT "ALLA PESA", THE VILLAGE BAR
NAUGHTIEST DEED: BITING THE WHEELS OF THE FORKLIFT
PET PEEVE: THUNDER STORMS

OTTO

BABA

PASSATEMPO PREFERITO: MANGIARE
BRUTTO VIZIO: ABBAIARE
COSE CHE LA INFASTIDISCONO: I BAGAGLI

FAVOURITE PASTIME: EATING
NAUGHTIEST DEED: BARKING
PET PEEVE: LUGGAGE

PASSATEMPO PREFERITO: GIOCARE CON IL GATTO
BRUTTO VIZIO: SALTARE ADDOSSO ALLA GENTE
COSE CHE LA INFASTIDISCONO: RIMANERE IN MACCHINA
FAVOURITE PASTIME: PLAYING WITH THE CAT
NAUGHTIEST DEED: JUMPING UP ON PEOPLE
PET PEEVE: STAYING IN THE CAR

SISSI

FIBIO

PASSATEMPO PREFERITO: *CORRERE TRA I VIGNETI*
BRUTTO VIZIO: *ANDARE A TROVARE LE SUO 'AMICHETTE'*
COSE CHE LO INFASTIDISCONO: *I TUONI*

FAVOURITE PASTIME: *RUNNING IN THE VINEYARDS*
NAUGHTIEST DEED: *VISITING GIRL DOGS*
PET PEEVE: *THUNDER*

BRUTTO VIZIO: ABBAIARE AI CAMION
COSE CHE LA INFASTIDISCONO: I CAMION
PASSATEMPO PREFERITO: ANDARE A CACCIA CON FIBIO

NAUGHTIEST DEED: BARKING AT TRUCKS
PET PEEVE: TRUCKS
FAVOURITE PASTIME: HUNTING WITH FIBIO

TINA

PASSATEMPO PREFERITO: STARE CON IL SUO PADRONE
CIBO PREFERITO: CROCCANTINI
AMICI: I CAVALLI

FAVOURITE PASTIME: BEING WITH HER OWNER
FAVOURITE FOOD: DRY DOG FOOD
KNOWN ACCOMPLICES: THE HORSES

DESIRÉE

PASSATEMPO PREFERITO: GIOCARE CON IL SUO CONIGLIO DI PEZZA
CIBO PREFERITO: BISCOTTI E RISO BASMATI CON GLI SCAMPI
BRUTTO VIZIO: LA TESTARDAGGINE

FAVOURITE PASTIME: PLAYING WITH HIS TOY RABBIT
FAVOURITE FOODS: BISCUITS AND BASMATI RICE WITH SHRIMPS
NAUGHTIEST DEED: BEING STUBBORN

UGO

PASSATEMPO PREFERITO: ANDARE A CACCIA
BRUTTO VIZIO: ESSERE CURIOSA E RACCOGLIERE QUALUNQUE COSA
COSE CHE LA INFASTIDISCONO: IL CAMPANELLO DELLA PORTA

FAVOURITE PASTIME: HUNTING
NAUGHTIEST DEED: BEING CURIOUS
AND RUNNING AFTER THINGS
PET PEEVE: THE DOORBELL

LUNA

BUBE

CIBO PREFERITO: I FICHI
BRUTTO VIZIO: RUBARE IL CIBO DEGLI ALTRI
COSE CHE LO INFASTIDISCONO: I PICCIONI CHE LE RUBANO IL CIBO

FAVOURITE FOOD: FIGS
NAUGHTIEST DEED: STEALING FOOD
PET PEEVE: PIGEONS EATING HIS FOOD

PASSATEMPO PREFERITO: APRIRE
GLI ARMADIETTI DELLA CUCINA
CIBO PREFERITO: IL SALAME
BRUTTO VIZIO: RUSSARE

FAVOURITE PASTIME:
OPENING KITCHEN CUPBOARDS
FAVOURITE FOOD: SALAMI
NAUGHTIEST DEED: SNORING

GIULIVA

TOMMY

PASSATEMPO PREFERITO: DISTRUGGERE LE SCATOLE
CIBO PREFERITO: IL GELATO
COMPLICI: IL GATTO PISELLO

FAVOURITE PASTIME: BREAKING BOXES
FAVOURITE FOOD: GELATO
KNOWN ACCOMPLICE: PISELLO THE CAT

PASSATEMPO PREFERITO:
ANDARE A FARE IL BAGNO NEL LAGO
BRUTTO VIZIO: ABBAIARE DA SOPRANO
COSE CHE LA INFASTIDISCONO: GLI ESTRANEI
VICINO LA CASA DEL PADRONE

FAVOURITE PASTIME: TAKING A BATH IN THE LAKE
NAUGHTIEST DEED: SOPRANO BARKING
PET PEEVE: STRANGERS NEAR HER OWNERS' HOME

CHANTAL

PIO BOFFA

PASSATEMPO PREFERITO: SUONARE IL PIANOFORTE E SCIARE
COSE CHE LO INFASTIDISCONO: ACETO E FUNGHI
COMPLICI: NICOLETTA, FEDERICA E LA MIA FAMIGLIA

FAVOURITE PASTIMES: PLAYING THE PIANO AND SKIING
DISLIKES: VINEGAR AND MUSHROOMS
KNOWN ACCOMPLICES: NICOLETTA, FEDERICA AND FAMILY

FEDERICA ROSY BOFFA

PASSATEMPO PREFERITO: GUARDARE LA TV
CIBO PREFERITO: PIZZA
COSE CHE LA INFASTIDISCONO: FARE I COMPITI

FAVOURITE PASTIME: WATCHING TV
FAVOURITE FOOD: PIZZA
DISLIKE: HOMEWORK

144 **PIO CESARE** CUNEO, PIEMONTE

PASSATEMPO PREFERITO: MANGIARE E DORMIRE
CIBO PREFERITO: PROSCIUTTO COTTO
BRUTTO VIZIO: ABBAIARE A TUTTI
COMPLICI: GOFFREDO

FAVOURITE PASTIMES: EATING AND SLEEPING
FAVOURITE FOOD: HAM
NAUGHTIEST DEED: BARKING AT EVERYONE
KNOWN ACCOMPLICE: GOFFREDO

STELLINA

PROPRIETARIA: FEDERICA ROSY BOFFA | METICCIO, 3 | **PIO CESARE** CUNEO, PIEMONTE

LA STORIA DI STELLINA

di Federica Rosy Boffa

STELLINA È NATA il 23 ottobre 2003 a il Bricco, la nostra casa di campagna, dove nasce anche il nostro miglior Barbaresco. Per noi, Stellina non è meno importante di un grande vino.

Di razza meticcia, pelo raso e soffice, marrone chiaro... e magari dovrebbe perdere qualche chiletto! Come un'ombra, segue sempre la nonna Rosy passo passo, con un fare molto protettivo: guai a chi gliela tocca!

Le piace soprattutto fare il bagno ed essere asciugata con il phon, perché sa che, se farà la brava, verrà premiata con un biscotto. Stellina è molto pigra; secondo noi, è un vero cane da salotto, dato che sta quasi tutto il giorno sul divano, e le poche volte che la portiamo fuori al guinzaglio si sente spaesata, e teme di essere abbandonata. Al mattino, però, gratta alacremente la porta della camera della sua padroncina, Federica, per farsi aprire, salire sul letto e schiacciare un altro pisolino insieme. L'unico momento della giornata in cui Stellina è attiva è quando la nostra famiglia si riunisce a tavola per pranzo e per cena, perché spera sempre che a qualcuno cada qualcosa per terra che lei possa mangiare... (poi dice che è sovrappeso!)

Di sicuro non vincerà mai nessun concorso di bellezza, ma per noi Stellina è il cane più bello del mondo, per l'affetto, la gioia e la compagnia che ci dona.

Senza di lei tutto sarebbe diverso; anche le persone che vengono a visitare la nostra cantina non avrebbero il piacere di sentire la sua "adorabile" voce!

FEDERICA ROSY BOFFA È UNA SCRITTRICE IN ERBA, E APPASSIONATA CINOFILA, PIENA DI ENTUSIASMO; FRA L'ALTRO, È LA FIGLIA DECENNE DI PIO E NICOLETTA BOFFA.

STELLINA'S STORY

by Federica Rosy Boffa

STELLINA WAS BORN on 23 October 2003 at il Bricco, *our country house where we produce our best Barbaresco. Stellina is just as important to us as a great wine.*

She is cross-bred, short, has soft pale brown hair, is dumpy ... and in need of trimming down. She follows Grandma Rosy everywhere like a shadow and is very protective – so don't dare bother her in the presence of her bodyguard!

She especially enjoys taking a bath and having her hair dried, as she knows she'll be rewarded with a cookie if she behaves. Stellina is a really lazy dog – a natural-born couch potato. In the morning she'll wake up and scratch on the bedroom door of her little mistress, Federica, so that she can take an extra nap in her warm bed.

Apart from bed-swapping, the only active moments in Stellina's day are when the family gathers around the table for lunch or dinner. Stellina rotates around the table in the hope of tasty morsels accidentally falling off somebody's dish ... no wonder she needs trimming down!

She is no beauty queen; nonetheless, she is the world's most beautiful dog to us. Stellina's a wonderful dog that gives us love, joy and great company.

Life wouldn't be the same without her – and winery visitors would miss out on being charmed by her adorable voice!

FEDERICA ROSY BOFFA IS AN ENTHUSIASTIC WRITER AND DOG LOVER AND IS ALSO THE 10-YEAR-OLD DAUGHTER OF PIO AND NICOLETTA BOFFA.

GIOCATTOLO PREFERITO: BASTONI
COSE CHE LO INFASTIDISCONO: I GATTI
BRUTTO VIZIO: INSEGUIRE I TRATTORI
PASSATEMPO PREFERITO: TUFFARSI IN ACQUA

FAVOURITE TOY: STICK
PET PEEVE: CATS
NAUGHTIEST DEED: CHASING TRACTORS
FAVOURITE PASTIME: DIVE-BOMBING IN WATER

RALPH

MASSIMO DAMONTE

BRUTTO VIZIO: PUNIRE RALPH
PASSATEMPO PREFERITO: GUIDARE LA MOTOCICLETTA
COSE CHE LO INFASTIDISCONO: QUANDO
RALPH NON TORNA AL SUO RICHIAMO

NAUGHTIEST DEED: CHASTISING RALPH
FAVOURITE PASTIME: MOTORBIKE RIDING
DISLIKE: RALPH NOT RETURNING WHEN HE'S CALLED

BOOM BOOM

PASSATEMPO PREFERITO: NASCONDERSI SOTTO IL LETTO
COSE CHE LO INFASTIDISCONO: ESSER CHIUSO IN CASA
BRUTTO VIZIO: DISTRUGGERE L'ORTO DEL NONNO

FAVOURITE PASTIME: HIDING UNDER THE BED
PET PEEVE: BEING LOCKED IN THE HOUSE
NAUGHTIEST DEED: DESTROYING
GRANDFATHER'S VEGETABLE GARDEN

CIBO PREFERITO: LE COSTOLETTE
BRUTTO VIZIO: SALTARE
ADDOSSO ALLE PERSONE
COSE CHE LO INFASTIDISCONO:
IL TEMPORALE

FAVOURITE FOOD: RIBS
NAUGHTIEST DEED:
JUMPING UP ON PEOPLE
PET PEEVE: THUNDERSTORMS

TEQUILA

LUNA

CIBO PREFERITO: BISCOTTI
BRUTTO VIZIO: DISTRUGGERE I GERANI
GIOCATTOLO PREFERITO: I CALZINI
COSE CHE LA INFASTIDISCONO: LE MOSCHE

FAVOURITE FOOD: SWEET BISCUITS
NAUGHTIEST DEED: DESTROYING THE GERANIUMS
FAVOURITE TOY: SOCKS
PET PEEVE: FLIES

CIBO PREFERITO: POLPETTINE
BRUTTO VIZIO: SCAPPARE VIA
GIOCATTOLO PREFERITO: PALLA DA TENNIS
COSE CHE LO INFASTIDISCONO: I COMANDI

FAVOURITE FOOD: MEAT BALLS
NAUGHTIEST DEEDS: RUNNING AWAY
FAVOURITE TOY: TENNIS BALL
PET PEEVE: COMMANDS

REX

COOPER

PASSATEMPO PREFERITO:
CERCARE PORCOSPINI E VOLPI
CIBO PREFERITO: PANE DURO E SECCO
GIOCATTOLO PREFERITO: SPRUZZATORE

FAVOURITE PASTIME: LOOKING FOR
PORCUPINES AND FOXES
FAVOURITE FOOD: HARD DRY BREAD
FAVOURITE TOY: SPRINKLERS

PASSATEMPO PREFERITO: GIOCARE CON I CAVALLI
BRUTTO VIZIO: SALIRE IN MACCHINA
COSE CHE LA INFASTIDISCONO: QUANDO
QUALCUNO SI AVVICINA ALLA MACCHINA

FAVOURITE PASTIME: PLAYING WITH HORSES
NAUGHTIEST DEED: GETTING IN THE CAR
PET PEEVE: WHEN SOMEBODY GOES NEAR THE CAR

ZETA

CIBO PREFERITO: TUTTO QUELLO
CHE NON DOVREBBE MANGIARE
COSE CHE LO INFASTIDISCONO:
GLI ESTRANEI IN CASA
COMPLICI: CIARA

FAVOURITE FOOD: EVERYTHING HE SHOULDN'T EAT
PET PEEVE: STRANGERS IN THE HOUSE
KNOWN ACCOMPLICE: CIARA

NIKI

PASSATEMPO PREFERITO: DORMIRE
CIBO PREFERITO: TUTTO QUELLO
CHE E' COMMESTIBILE
BRUTTO VIZIO: ABBAIARE LA NOTTE
COMPLICI: ANDREA

FAVOURITE PASTIME: SLEEPING
FAVOURITE FOOD: EVERYTHING EDIBLE
NAUGHTIEST DEED: BARKING AT NIGHT
KNOWN ACCOMPLICE: ANDREA

MORFEO

BIRBA

CIBO PREFERITO: SALAME
BRUTTO VIZIO: ABBAIARE TROPPO
COSE CHE LA INFASTIDISCONO:
LE PERSONE VESTITE DI NERO
GIOCATTOLO PREFERITO: PINA LA GATTA

FAVOURITE FOOD: SALAMI
NAUGHTIEST DEED: BARKING TOO MUCH
PET PEEVE: PEOPLE DRESSED IN BLACK
FAVOURITE TOY: PINA THE CAT

BRUTTO VIZIO: MOLTO TESTARDA
COSE CHE LA INFASTIDISCONO: I BAMBINI PICCOLI
PASSATEMPO PREFERITO: RUBARE LE SCARPE E MANGIARE LA CARNE

NAUGHTIEST DEED: BEING STUBBORN
PET PEEVE: SMALL CHILDREN
FAVOURITE PASTIMES: STEALING SHOES AND EATING MEAT

ELIA

GIOCATTOLO PREFERITO: LE SCARPE
BRUTTO VIZIO: MANGIARE TUTTO
COMPLICI: MUTZ E IL GATTO

FAVOURITE TOYS: SHOES
NAUGHTIEST DEED: EATING EVERYTHING
KNOWN ACCOMPLICES: MUTZ AND THE CAT

NATZ

PASSATEMPO PREFERITO: STARE IN CAMPAGNA
CIBO PREFERITO: FORMAGGIO, GELATO
BRUTTO VIZIO: ABBAIARE DURANTE LA NOTTE

FAVOURITE PASTIME: BEING IN THE COUNTRYSIDE
FAVOURITE FOODS: CHEESE AND GELATO
NAUGHTIEST DEED: BARKING AT NIGHT

MUTZ

PIPPO

COMPLICI: PINO
PASSATEMPO PREFERITO: DORMIRE
COSE CHE LO INFASTIDISCONO: LO SHAMPOO ANTIPULCI

KNOWN ACCOMPLICE: PINO
FAVOURITE PASTIME: SLEEPING
PET PEEVE: FLEA SHAMPOO

CIBO PREFERITO: PASTA
PASSATEMPO PREFERITO: PASSEGGIARE IN CAMPAGNA
COSE CHE LO INFASTIDISCONO: IL SUONO DELLE CAMPANE

FAVOURITE FOOD: PASTA
FAVOURITE PASTIME: WALKING THROUGH THE COUNTRYSIDE
PET PEEVE: CHURCH BELLS

PINO

ARTÙ

COMPLICI: MERLINO
CIBO PREFERITO:
PASTA, RISO E CARNE
COSE CHE LO INFASTIDISCONO:
IL VERSO DEL FAGIANO

KNOWN ACCOMPLICE: MERLINO
FAVOURITE FOODS PASTA, RICE AND MEAT
PET PEEVE: PHEASANT'S CRY

PASSATEMPO PREFERITO: CORRERE, DORMIRE E MANGIARE
CATTIVO VIZIO: SI SIEDE SPESSO IN POLTRONA
COMPLICI: FELICE IL GATTO E LENA IL CAVALLO

FAVOURITE PASTIMES: RUNNING, SLEEPING AND EATING
NAUGHTIEST DEED: SITTING ON THE ARMCHAIR
KNOWN ACCOMPLICES: FELICE THE CAT AND LENA THE HORSE

BINGO

PASSATEMPO PREFERITO: GIOCARE
CIBO PREFERITO: CROCCANTINI PER CANI
COSE CHE LA INFASTIDISCONO: STARE DA SOLA
COMPLICI: NERO E ARÀ

FAVOURITE PASTIME: PLAYING
FAVOURITE FOOD: DRIED DOG FOOD
PET PEEVE: BEING ALONE
KNOWN ACCOMPLICES: NERO AND ARÀ

PEPE

PASSATEMPO PREFERITO: FARE LA GUARDIA ALLA CASA
CIBO PREFERITO: CROCCANTINI PER CANI
COSE CHE LO INFASTIDISCONO: STARE DA SOLO

FAVOURITE PASTIME: GUARDING THE HOUSE
FAVOURITE FOOD: DRIED DOG FOOD
PET PEEVE: BEING ALONE

NERO

PULCE

PASSATEMPO PREFERITO: CORRERE NEI VIGNETTI
GIOCATTOLO PREFERITO: LE PIGNE
COSE CHE LO INFASTIDISCONO: I GATTI

FAVOURITE PASTIME: RUNNING THROUGH THE VINES
FAVOURITE TOYS: PINECONES
PET PEEVE: CATS

CIBO PREFERITO: PANE E PROSCIUTTO
GIOCATTOLO PREFERITO: GAMBE DEI TAVOLI
COMPLICI: SUO FRATELLO PULCE

FAVOURITE FOODS: BREAD AND PROSCIUTTO
FAVOURITE TOY: TABLE LEGS
KNOWN ACCOMPLICE: HIS BROTHER PULCE

POLPETTA

ARIANNA

PASSATEMPO PREFERITO: ANDARE A CACCIA DI GATTI E UCCELLI
CIBO PREFERITO: LA PIZZA
COSE CHE LA INFASTIDISCONO: RESTARE SOLA

FAVOURITE PASTIME: HUNTING CATS AND BIRDS
FAVOURITE FOOD: PIZZA
PET PEEVE: BEING ALONE

FILO

COMPLICI: MATTEO
CIBO PREFERITO: CIBO PER GATTI
GIOCATTOLO PREFERITO: LE PIGNE GRANDI
PASSATEMPO PREFERITO: MORDERE SUA MADRE, ARIANNA

KNOWN ACCOMPLICE: MATTEO
FAVOURITE FOOD: CAT FOOD
FAVOURITE TOY: BIG PINE CONES
FAVOURITE PASTIME: BITING ARIANNA, HER MOTHER

ARIANNA

PASSATEMPO PREFERITO:
ANDARE A CACCIA DI GATTI E UCCELLI
CIBO PREFERITO: LA PIZZA
COSE CHE LA INFASTIDISCONO: RESTARE SOLA

FAVOURITE PASTIME: HUNTING CATS AND BIRDS
FAVOURITE FOOD: PIZZA
PET PEEVE: BEING ALONE

PEDRO

PASSATEMPO PREFERITO: STARE CON TERESA
CIBO PREFERITO: UNA FETTA DI TORTA A COLAZIONE
BRUTTO VIZIO: RINCORRERE TUTTI I NOSTRI GATTI
COSE CHE LO INFASTIDISCONO: I TEMPORALI

FAVOURITE PASTIME: BEING WITH TERESA
FAVOURITE FOOD: A SLICE OF CAKE AT BREAKFAST
NAUGHTIEST DEED: ROUNDING UP THE CATS
PET PEEVE: THUNDER

CIBO PREFERITO: BISCOTTI
BRUTTO VIZIO: ROMPERE IL DIVANO
COSE CHE LO INFASTIDISCONO: I GATTI

FAVOURITE FOOD: BISCUITS
NAUGHTIEST DEED: BREAKING THE COUCH
PET PEEVE: CATS

BART

OTTONE

PASSATEMPO PREFERITO: CORRERE
TRA I VIGNETI A CACCIA DI LEPRI
BRUTTO VIZIO: SALIRE SUL LE TO
GIOCATTOLO PREFERITO:
UNA CAROTA DI PLASTICA

FAVOURITE PASTIME: RUNN ING
AROUND THE WINERY CAT CHING HARE
NAUGHTIEST DEED: JUMP ING UP ON THE BED
FAVOURITE TOY: A PLA TIC CARROT

PASSATEMPO PREFERITO: DORMIRE E "SPASSARSELA"
BRUTTO VIZIO: ESSERE UN "DON GIOVANNI"
COSE CHE LO INFASTIDISCONO: ESSERE SVEGLIATO

FAVOURITE PASTIMES: SLEEPING AND HUMPING
NAUGHTIEST DEED: MAKING PUPPIES ACROSS THE VILLAGE
PET PEEVE: BEING WOKEN UP

SLEEPY

PASSATEMPO PREFERITO: DORMIRE
E ANDARE A CACCIA DI UCCELLI
COSE CHE LO INFASTIDISCONO: I BAMBINI
COMPLICI: ZIO PAOLO

FAVOURITE PASTIMES: SLEEPING
AND HUNTING BIRDS
PET PEEVE: CHILDREN
KNOWN ACCOMPLICE: UNCLE PAOLO

FLICK

PASSATEMPO PREFERITO: ANDARE A CACCIA
DI CINGHIALI E GUARDARE FILIPPO
CIBO PREFERITO: CARNE EQUINA E PANE
COSE CHE LA INFASTIDISCONO:
GLI UOMINI CHE URLANO

FAVOURITE PASTIMES: CHASING
WILD BOARS AND WATCHING FILIPPO
FAVOURITE FOODS:
HORSE MEAT AND BREAD
PET PEEVE: SHOUTING MEN

VIS

ARGO

COMPLICI: ALTRI CANI
PASSATEMPO PREFERITO: ANDARE A CACCIA
BRUTTO VIZIO: CORRERE A CACCIA DI CAPRIOLI

KNOWN ACCOMPLICES: OTHER DOGS
FAVOURITE PASTIME: HUNTING
NAUGHTIEST DEED: CHASING BABY DEER

PASSATEMPO PREFERITO: SALUTARE I CLIENTI
CIBO PREFERITO: GRISSINI E SALAME
BRUTTO VIZIO: AVVENTURARSI TROPPO LONTANO
COSE CHE LO INFASTIDISCONO: L'ACQUA

FAVOURITE PASTIME: GREETING CLIENTS
FAVOURITE FOODS: BREAD STICKS AND SALAMI
NAUGHTIEST DEED: VENTURING TOO FAR
PET PEEVE: WATER

PINO

PROPRIETARIO: ANGELO ROCCA | LABRADOR X, 7 | **ALBINO ROCCA** BARBARESCO, PIEMONTE | 179

POLDO

PASSATEMPO PREFERITO:
ACCOGLIERE I CLIENTI IN CANTINA
BRUTTO VIZIO: ANDARSENE IN GIRO PER VERDUNO
COSE CHE LA INFASTIDISCONO: I TEMPORALI

FAVOURITE PASTIME: ROUNDING UP CLIENTS IN THE CELLAR
NAUGHTIEST DEED: WANDERING AROUND VERDUNO
PET PEEVE: THUNDERSTORMS

| **FRATELLI ALESSANDRIA** CUNEO, PIEMONTE | COCKER SPANIEL X, 4 | PROPRIETARIA: FLAVIA MANZONE

GIOCATTOLO PREFERITO:
GLI ORSACCHIOTTI
PASSATEMPO PREFERITO:
DORMIRE SOTTO LE VITI
COSE CHE LO INFASTIDISCONO:
GLI ESTRANEI

FAVOURITE TOY: TEDDY BEAR
FAVOURITE PASTIME:
SLEEPING UNDER THE VINES
PET PEEVE: STRANGERS

TOMMY

SCHEGGIA

CIBO PREFERITO: GNOCCHI
PASSATEMPO PREFERITO: MANGIARE IN OSTERIA
BRUTTO VIZIO: ABBAIARE ALLE RANE
COSE CHE LA INFASTIDISCONO: I MOTORINI

FAVOURITE FOOD: GNOCCHI
FAVOURITE PASTIME: EATING IN THE OSTERIA
NAUGHTIEST DEED: BARKING AT THE FROGS
PET PEEVE: MOTORBIKES

CIBO PREFERITO: PROSCIUTTO
PASSATEMPO PREFERITO: GIOCARE CON L'ACQUA
COSE CHE LA INFASTIDISCONO: LE PORTE CHIUSE IN CASA
COMPLICI: IL NOSTRO GATTINO, PIUMINO

FAVOURITE FOOD: PROSCIUTTO
FAVOURITE PASTIME: PLAYING WITH WATER
PET PEEVE: CLOSED DOORS IN THE HOUSE
KNOWN ACCOMPLICE: PIUMINO THE CAT

MANDY

PASSATEMPO PREFERITO: SALTARE
CIBO PREFERITO: BISCOTTI
COMPLICI: I BAMBINI E CRAIG

FAVOURITE PASTIME: JUMPING
FAVOURITE FOOD: BISCUITS
KNOWN ACCOMPLICES: THE KIDS AND CRAIG

KING

CIBO PREFERITO: I BISCOTTI "CANTUCCI"
GIOCATTOLO PREFERITO: ORSACCHIOTTO
COSE CHE LA INFASTIDISCONO: I GATTI
FAVOURITE FOOD: CANTUCCI BISCUITS.
FAVOURITE TOY: TEDDY BEAR
PET PEEVE: CATS

FANNY

PASSATEMPO PREFERITO: DORMIRE E GIOCARE
CON GLI ALTRI CANI CHE SONO QUI A CASA
GIOCATTOLO PREFERITO: I BASTONCINI
COSE CHE LA INFASTIDISCONO: I CONIGLI E I GATTI

FAVOURITE PASTIMES: SLEEPING AND
PLAYING WITH THE OTHER DOGS
FAVOURITE TOY: STICKS
PET PEEVES: RABBITS AND CATS

LILA

SAN ROMANO CUNEO, PIEMONTE | TERRIER X, 6 | PROPRIETARIO: GIULIO NAPOLI

CIBO PREFERITO: CARNE
PASSATEMPO PREFERITO: CORRERE IN
GIRO PER SCOPRIRE COSE NUOVE
BRUTTO VIZIO: ESSERE BATTAGLIERO CON ALTRI CANI

FAVOURITE FOOD: MEAT
FAVOURITE PASTIME: RUNNING AROUND
LOOKING FOR SOMETHING NEW
NAUGHTIEST DEED: FIGHTING WITH OTHER DOGS

JAGO

PASSATEMPO PREFERITO: MANGIARE LE PIGNE
BRUTTO VIZIO: BERE L'ACQUA DEL MARE
COSE CHE LA INFASTIDISCONO: CHICCO,
LO STUPIDO GATTO ROSSO DEI VICINI

FAVOURITE PASTIME: EATING PINE CONES
NAUGHTIEST DEED: DRINKING SEA WATER
PET PEEVE: CHICCO, THE STUPID CAT NEXT DOOR

CIBO PREFERITO: LA LASAGNA AL FORNO
PASSATEMPO PREFERITO: LEGGERE E STARE CON GLI AMICI
COSE CHE LA INFASTIDISCONO:
MI INFASTIDISCE L'ARROGANZA E LA SLEALTÀ
COMPLICE: MIRKO POZZI

FAVOURITE FOOD: BAKED LASAGNA
FAVOURITE PASTIMES: READING AND BEING WITH FRIENDS
DISLIKES: ARROGANCE AND DISLOYALTY
KNOWN ACCOMPLICE: MIRKO POZZI

TIZIANA FRESCOBALDI

DA JOHNSON A YORK

di Tiziana Frescobaldi

HO SEMPRE AMATO I CANI, fin dalla più tenera età. Avevo cinque o sei anni, quando Johnson è arrivato in casa; un volpino della Pomerania, di piccolissima taglia, dal pelo rossastro e lungo, ed era stato abbandonato nei paraggi di Poggio a Remole, la nostra vecchia villa di campagna, sulle colline di Firenze.

Johnson è spuntato dal bosco, ed è entrato dritto filato in casa, alla ricerca di un padrone affidabile, finendo per trovarne cinque – tre bimbette e due adulti.

Io e le mie due sorelle non stavamo più nella pelle per l'inatteso visitatore, e pretendemmo di adottarlo immediatamente, nella speranza che poi non sarebbe nuovamente scomparso nella boscaglia. La Villa di Poggio a Remole, nelle vicinanze del Castello di Nipozzano, dove produciamo alcuni dei nostri vini di punta, è circondata da vigne ed ha un giardino enorme, dove Johnson avrebbe potuto scorazzare in totale libertà. Unica restrizione: non invadere il territorio di Tiberio, pastore tedesco dai modi alquanto inurbani e di taglia imponente, che trascorreva la maggior parte del tempo a catena (buon per Johnson), a guardia dei campi. Il nostro minicane doveva altresì guardarsi dai 'gatti della Fattoressa', una masnada di felini inselvatichiti che si avventurava sino a noi, per spizzicare gli avanzi.

Non si può dire che Johnson fosse un adone; compensava con la socievolezza. Aveva il sacro terrore delle automobili, esteso a tutto ciò che si muoveva troppo veloce per i suoi gusti. Aveva preso il vizio di rincorrere gli automezzi, abbaiando a squarciagola; un vizio che gli sarebbe costato la vita. Un brutto giorno, finì sotto le ruote di un camioncino. Fortunatamente, noi ragazze eravamo a scuola e ci risparmiammo il cruento spettacolo; ricevemmo la ferale notizia dalla mamma, nel pomeriggio. Dopo appena pochi mesi, la famiglia si trasferì a Roma, in un appartamento ai Parioli, privo di giardino, che non consentiva perciò la compagnia di un cane. Fu così che vi rinunciammo per alcuni anni.

Un altro animale domestico arrivò poco dopo, come regalo per l'undicesimo compleanno di mia sorella: Sikrit, la gatta siamese. Sinuosa e astuta, come tutti i felini, monopolizzò l'attenzione di noi ragazze per diversi anni, precludendo ulteriormente l'arrivo di un cane in famiglia. Poi, nel 1989, dopo un nuovo trasloco in una casa più grande e dotata di giardino, ecco finalmente York. Un cane era nei desideri miei e di Lucrezia già da tempo. Uno di piccola taglia, però, lei proprio non lo voleva, e mia madre era piuttosto preoccupata che l'arrivo di un cane di grossa stazza avrebbe causato le immediate dimissioni della nostra fidatissima ma alquanto autoritaria colf, che già in passato aveva influenzato più di una nostra decisione in base ai suoi sbalzi d'umore.

Un giorno, Lucrezia decise di tentare l'azzardo. Di ritorno da un viaggio negli Stati Uniti, portò a casa York, un cucciolo languido, bianco e beige, adottato al canile municipale di New York. La colf si convinse che non c'era modo di rispedirlo al mittente. Com'era prevedibile, in men che non si dica s'innamorò perdutamente di York, e allora non c'era

FROM **JOHNSON** TO **YORK**

by Tiziana Frescobaldi

I'VE LOVED DOGS ever since my early childhood. I was five or six when Johnson joined the family; he was a small, reddish, long-haired Pomeranian, abandoned in the surroundings of Poggio a Remole, our old country villa in the Florentine hills.

Johnson popped out of the woods, headed inside looking for a reliable owner, and ended up with five – three kids and two grown-ups.

My two sisters and I were very excited about this unexpected visitor and adopted him right away, hoping he would not disappear again in the fields. The Villa at Poggio a Remole – close to the Nipozzano Castle, the estate where we produce some of our most important wines – is surrounded by vineyards and has a large garden where Johnson would roam freely, being careful not to invade the territory of Tiberio – a quite rude and large German shepherd, who spent most of his time guarding the fields, tightly leashed (luckily for Johnson). Our small dog also had to watch out for the 'cats of the farm lady', a bunch of wild feline predators who came over to nibble on leftovers.

Johnson was certainly no beauty, yet he was very friendly. He was frightened by cars and everything that moved too fast for him. He had picked up the habit of chasing vehicles and barking at the top of his lungs. Then one day he was run over by a truck. We girls were at school, and got the tragic news from Mum when we arrived home that afternoon.

After a few months, we moved to Rome, into an apartment in the Parioli area that had no garden and therefore, was unsuitable for a dog. So for quite a few years we didn't think about having one.

Shortly afterwards, some family friends gave a Siamese cat to my sister as a present for her eleventh birthday: Sirikit. Sleek and clever, just like all felines, she captured the attention of us girls for many years, making it way more difficult to include a dog into our family.

Then in 1989, after we moved to a more spacious home with a garden, York came to stay with us. For a long time, Lucrezia and I had wanted a dog. She didn't want a toy dog, though, and this worried my mother, afraid that our extremely reliable yet quite authoritative maid would immediately resign upon the arrival of a big dog. After all, our maid would often influence our decisions according to her mood swings.

One day, Lucrezia took the big gamble. Back from a trip to the United States, she brought with her York, a sweet black-and-beige, languid pet, rescued from New York's Municipal Dog Shelter. Our maid convinced herself that there was no way of sending him back. She soon (and quite predictably) fell in love with York, and was the one who defended him from our rebukes for all the damage caused to our clothes and furniture.

modo di sgridarlo, non importa che danno colossale avesse causato a mobili vestiti & cose varie: lei era sempre lì a difenderlo. York imparò presto che, in famiglia, c'era sempre qualcuno pronto a chiudere un occhio su una marachella.

Certo, bisogna dire che York si faceva benvolere, così festoso e socievole. Odiava essere lasciato solo, e teneva un broncio lungo così tutte le volte che eravamo costrette a lasciarlo a casa, anche se uscivamo per poche ore. York era un trovatello preso al canile, non aveva un aristocratico pedigree. Ciononostante era davvero bello. A sentire il veterinario, era per metà labrador e per metà dobermann. Sembrava un dobermann appena troppo poco cresciuto, mentre del labrador ereditava la dolcezza intrinseca. Esuberante, a Villa Borghese cercava sempre di giocare con gli altri cani, anche con i più aggressivi, tendenza che gli costò un paio di morsi e qualche punto di sutura. Suo acerrimo nemico Simon, (il cane dei nostri vicini), a giudicare dalle reazioni: lotta senza quartiere per l'egemonia sul vialetto antistante la nostra palazzina. Non appena lo scorgeva, cominciava a ringhiare profondamente e ad abbaiare fragorosamente, scagliandosi contro la finestra chiusa, rischiando di rompere il vetro.

Un vero appassionato di coccole, eppure sapeva essere discreto quando la situazione lo richiedeva. Imponente e forte, la sua era una presenza rassicurante. Per tutta la sua vita – quattordici anni splendidi – è stato con noi, donandoci gioia e amore ineffabili, che ricordo con immenso piacere rivolgendogli questo pensiero.

TIZIANA FRESCOBALDI DIRIGE L'AZIENDA DI FAMIGLIA, MARCHESI DE' FRESCOBALDI. FAMIGLIA DI VITICOLTORI E PRODUTTORI VINICOLI DA OLTRE SEI SECOLI, PRODUCE OGGI OLTRE 10 MILIONI DI BOTTIGLIE L'ANNO.

From the very start of our life together, York perceived that there was always someone there who turned a blind eye to his pranks.

As a matter of fact, York was a very easy dog to love – joyful and sociable. He hated to be alone and would frown on us whenever we were forced to go out and leave him at home, even if for just a few hours. York came from a dog shelter, and was no pedigreed aristocrat. However, he was still a beautiful dog. According to our vet, he was half doberman and half Labrador. He looked like a slightly smaller-than-average doberman and had the inherent sweet character of a retriever. He always felt like playing with other dogs at the Villa Borghese Park – no matter how aggressive they were and, as a result, was bitten several times, requiring stitches.

His fiercest enemy, judging from his reactions, was Simon, our neighbour's dog who challenged his hegemony over the driveway in front of our building. Each time he sensed his presence, York would growl and bark loudly, darting against the closed windowpane, almost breaking the glass.

Cuddling was the part he liked best, yet he understood quite well when it was time to behave. He was a strongly built and imposing dog, a reassuring presence around the place. He spent his whole life – fourteen beautiful years – with us, giving us happiness and earnest love, which we all remember with great fondness.

TIZIANA FRESCOBALDI DIRECTS THE FAMILY FIRM MARCHESI DE' FRESCOBALDI. THE FAMILY HAS CULTIVATED VINES AND PRODUCED WINE FOR SIX CENTURIES AND TODAY PRODUCES OVER 10 MILLION BOTTLES ANNUALLY.

TEQUILA

CIBO PREFERITO: PASTA
BRUTTO VIZIO: È OSSESSIONATO CON LA SUA PALLA
COSE CHE LO INFASTIDISCONO: I FUOCHI D'ARTIFICIO
COMPLICI: FRANCA

FAVOURITE FOOD: PASTA
NAUGHTIEST DEED: BEING OBSESSIVE ABOUT HIS BALL
PET PEEVE: FIREWORKS
KNOWN ACCOMPLICE: FRANCA

PODERE CASTORANI PESCARA, ABRUZZO | BOXER, 11 | PROPRIETARIO: JARNO TRULLI

PASSATEMPO PREFERITO: SPORT
CIBO PREFERITO: PIZZA
COMPLICI: BARBARA, MARCO E ENZO
BRUTTO VIZIO: ESSERE TROPPO PUNTUALE PER LE RIUNIONI
COSE CHE LO INFASTIDISCONO: IL RUMORE DEGLI AEREOPLANI

FAVOURITE PASTIME: SPORT
FAVOURITE FOOD: PIZZA
KNOWN ACCOMPLICES: BARBARA, MARCO AND ENZO
NAUGHTIEST DEED: BEING TOO PUNCTUAL FOR MEETINGS
DISLIKE: FLYING

JARNO TRULLI

TERRY

CIBO PREFERITO: CARNE
COMPLICI: LE CUOCHE
PASSATEMPO PREFERITO: MANGIARE LA FRUTTA DAGLI ALBERI
COSE CHE LA INFASTIDISCONO: LE PERSONE CHE NON AMANO I CANI

FAVOURITE FOOD: MEAT
KNOWN ACCOMPLICES: COOKS
FAVOURITE PASTIME: EATING FRUIT FROM THE TREES
PET PEEVE: PEOPLE WHO DON'T LOVE DOGS

CIBO PREFERITO: SPAGHETTI
PASSATEMPO PREFERITO: CONTROLLARE I LAVORI NEI CAMPI
BRUTTO VIZIO: NON SPOSTARSI DI FRONTE ALLE MACCHINE
COSE CHE LA INFASTIDISCONO: RIMANERE SOLA

FAVOURITE FOOD: SPAGHETTI
FAVOURITE PASTIME: CONTROLLING THE WORK IN THE FIELDS
NAUGHTIEST DEED: STANDING IN FRONT OF CARS
PET PEEVE: BEING ALONE

ASTRA

BRUNA

PASSATEMPO PREFERITO: PRENDERE IL SOLE
CIBO PREFERITO: BISCOTTI
BRUTTO VIZIO: INSEGUIRE LE LUCERTOLE
COSE CHE LA INFASTIDISCONO: LE MOSCHE

FAVOURITE PASTIME: SUNBATHING
FAVOURITE FOOD: BISCUITS
NAUGHTIEST DEED: CHASING LIZARDS
PET PEEVE: FLIES

PASSATEMPO PREFERITO:
GIRONZOLARE PER LA TENUTA
CIBO PREFERITO: PASTA CON IL PANE
COSE CHE LA INFASTIDISCONO: GLI ESTRANEI

FAVOURITE PASTIME: WALKING AROUND THE FARM
FAVOURITE FOOD: PASTA WITH BREAD
PET PEEVE: STRANGERS

EMMA

BRUTTO VIZIO: SCAVARE BUCHE
COMPLICI: CAMILLA
PASSATEMPO PREFERITO: SOCIALIZZARE CON GLI UMANI

NAUGHTIEST DEED: DIGGING HOLES
KNOWN ACCOMPLICE: CAMILLA
FAVOURITE PASTIME: SOCIALISING WITH PEOPLE

TITZA

PROPRIETARIO: LODOVICO ANTINORI │ RHODESIAN RIDGEBACK, 4 │ **TENUTA DI BISERNO**, LIVORNO, TOSCANA │ 201

LODOVICO ANTINORI

PASSATEMPO PREFERITO: VIAGGIARE PER IL MONDO
CIBO PREFERITO: I PIATTI ITALIANI E ANCHE PACIFIC RIM
PEGGIOR MISFATTO: AVER VENDUTO "ORNELLAIA"
GIOCATTOLO PREFERITO: PORSCHE CARRERA CABRIO
COSE CHE LO INFASTIDISCONO: LO SCIROCCO AFRICANO
COMPLICI: MICHEL ROLLAND

FAVOURITE PASTIME: TRAVELLING THE WORLD
FAVOURITE FOOD: ORIGINAL ITALIAN AND PACIFIC RIM FOOD
NAUGHTIEST DEED: SELLING "ORNELLAIA"
FAVOURITE TOY: PORSCHE CARRERA CONVERTIBLE
DISLIKE: SIROCCO WINDS
KNOWN ACCOMPLICE: MICHEL ROLLAND

PASSATEMPO PREFERITO: STARE
INSIEME AI MIEI ANIMALI DOMESTICI
CIBO PREFERITO: PASTA AL TARTUFO
BRUTTO VIZIO: RISPONDERE MALE ALLA MAESTRA
COSE CHE LA INFASTIDISCONO: GLI ABITI
DA DONNA, METTERSI IN POSA

FAVOURITE PASTIME: SPENDING TIME WITH THE ANIMALS
FAVOURITE FOOD: PASTA WITH TRUFFLES
NAUGHTIEST DEED: TALKING BACK TO THE TEACHER
DISLIKES: DRESSES AND SITTING FOR PORTRAITS

SOFIA ANTINORI

PROFILO ROMANO

di Lodovico Antinori

ERA UN GIORNO QUALSIASI, NEGLI ANNI 70; passeggiavo per i fatti miei sulla spiaggia di Long Island, New York, quando mi imbattei in un uomo che lanciava un bastone ad un animale bianco, strambo e piuttosto goffo, con un enorme testone che ospitava un muso alquanto bruttino. Creatura affascinante, anche se sui generis*, pensai; la curiosità cresceva, mentre osservavo il cane sfrecciare al seguito del bastone. Mi feci coraggio e chiesi di che razza si trattasse. "Bull terrier", rispose. Una razza che non avevo mai visto prima di allora. Mi venne poi detto che gli estimatori definiscono l'inconfondibile forma del capoccione 'profilo romano'. Se non è gusto per gli eufemismi questo ...*

Tornato in Europa, decisi di acquistare il cane dall'aspetto singolare, e sfogliai diverse riviste di settore, finalmente riuscendo a trovare un allevamento inglese specializzato in bull terrier. Da Londra, raggiunsi il paesello dove l'allevatrice viveva e operava. Incontrai una signora dal piglio very British*, nubile, attorno ai cinquanta, che divideva la magione con un'amica, e gestiva un allevamento di bull terrier che godeva di ottima fama. Prima di tutto, mi informò del fatto che, nel caso a tempo debito avessi fatto accoppiare il mio cucciolo e ottenuto piccoli dall'accoppiamento, avrei dovuto tassativamente rifiutare acquirenti potenziali a sud di Roma. Le era giunto all'orecchio che la camorra 'reggeva' un giro di scommesse clandestine sui combattimenti canini; la* lady *rifiutava categoricamente l'idea che i suoi cani, o i loro discendenti, potessero finire tanto male. Rimasi scioccato da questa notizia, che si dimostrò purtroppo veritiera.*

Giunto al canile, ricevetti un'accoglienza assai festosa da uno sciame di bull terrier bianchi, pezzati, e striati che mi salutavano dalle loro gabbie. Finalmente, venni fatto accomodare in casa, dove mi attendeva – in tutto il comfort di una scatola di scarpe – il cucciolo che mi era stato destinato: Trombone. E colpo di fulmine fu: esemplare bellissimo, di appena tre mesi di età, che valse bene tutte le peripezie del rientro in Italia con cucciolo al seguito. Trombone ha poi condiviso con me una vita lieta, e ricca di avventure.

IL **MARCHESE LODOVICO ANTINORI** RECA UNO DEI BLASONI PIÙ ANTICHI DELLA NOBILTÀ ENOLOGICA FIORENTINA: LA FAMIGLIA OPERA NEL SETTORE DEL VINO SIN DAL XIV SECOLO.

ROMAN NOSES

by Lodovico Antinori

ONE DAY BACK IN THE 1970s, I was strolling on the beach at Long Island, New York, when I witnessed a man throwing a stick to a white, weird and quite awkward-looking animal with a rather large, ugly head. I was fascinated by this creature and became increasingly curious each time this unusual dog darted after the thrown stick. I gathered my courage and asked the owner what breed of dog this was. "Bull terrier", he replied. I'd never seen this breed before. I would later learn that the unmistakable shape of the head is euphemistically referred to as the 'Roman Nose'.

I decided to buy one of these odd-looking dogs when I returned to Europe and researched dog magazines and eventually found a British bull terrier breeder. I travelled from London by train to a small village where the breeder lived. She was a British lady, unmarried, fifty-something, who shared her house with a female friend and ran a famous bull terrier kennel. Her initial advice was that if I ever bred my dog and had puppies – then I must not sell them south of Rome. She had heard stories of the Naples mob organising illegal dogfights, and she didn't want her dogs, or their offspring, to end up that way. I was quite shocked to hear that but sadly her stories proved to be true.

At the doghouse, I was excited to see a multitude of bull terriers – white, speckled, striped, all greeting me joyfully from their cages. Finally, I was allowed in, where my puppy – Trombone – was waiting for me in a shoebox. It was love at first sight for this beautiful three-month-old puppy and well worth the trouble of getting him back to Italy, where Trombone enjoyed many adventures throughout his life.

MARCHESE LODOVICO ANTINORI IS FROM FLORENTINE WINE NOBILITY AND HIS FAMILY HAS BEEN IN THE WINE TRADE SINCE THE 14TH CENTURY.

PASSATEMPO PREFERITO: FARE LA GUARDIA AI CINGHIALI
CIBO PREFERITO: COSTOLETTE DI CINGHIALE
BRUTTO VIZIO: FARE LA PIPÌ SULLE RUOTE DEI VIP
COSE CHE LO INFASTIDISCONO: I GATTI

FAVOURITE PASTIME: GUARDING WILD BOAR
FAVOURITE FOOD: WILD BOAR SPARERIBS
NAUGHTIEST DEED: PEEING ON THE TYRES OF THE VIPS
PET PEEVE: CATS

TENUTA DI BISERNO LIVORNO, TOSCANA | RHODESIAN RIDGEBACK, 1 | PROPRIETARIO: LODOVICO ANTINORI

PASSATEMPO PREFERITO:
GIOCARE CON I BAMBINI
CIBO PREFERITO: UOVA
COMPLICI: I BAMBINI

FAVOURITE PASTIME:
PLAYING WITH THE CHILDREN
FAVOURITE FOOD: EGGS
KNOWN ACCOMPLICES: CHILDREN

TITO

LAPO

PASSATEMPO PREFERITO: GIOCARE CON REX
GIOCATTOLO PREFERITO: LA COPERTA DI REX
BRUTTO VIZIO: RUBARE LE SCARPE
COSE CHE LO INFASTIDISCONO:
QUANDO GLI VIENE TIRATA LA CODA

FAVOURITE PASTIME: PLAYING WITH REX
FAVOURITE TOY: REX'S BLANKET
NAUGHTIEST DEED: STEALING SHOES
PET PEEVE: HAVING HIS TAIL PULLED

PASSATEMPO PREFERITO: DORMIRE
CIBO PREFERITO: TUTTO CIÒ CHE NON È DOLCE
CATTIVO VIZIO: FARE LA PIPÌ SULLE RUOTE DELLE AUTO

FAVOURITE PASTIME: SLEEPING
FAVOURITE FOOD: ANYTHING NOT SWEET
NAUGHTIEST DEED: PEEING ON CAR TYRES

REX

GIOCATTOLO PREFERITO:
SORCIO IL GATTO
CIBO PREFERITO: LA CIOCCOLATA
BRUTTO VIZIO: LA GELOSIA
PASSATEMPO PREFERITO:
MENDICARE CIBO

FAVOURITE TOY: SORCIO THE CAT
FAVOURITE FOOD: CHOCOLATE
NAUGHTIEST DEED: BEING JEALOUS
FAVOURITE PASTIME: BEGGING

POLDO

CIBO PREFERITO: LA LASAGNA
BRUTTO VIZIO: FARE CAPRIOLE SUL DIVANO
COSE CHE LO INFASTIDISCONO: CIBO PER CANI
COMPLICI: DROP E LOLA

FAVOURITE FOOD: LASAGNA
NAUGHTIEST DEED: ROLLING ON THE SOFA
PET PEEVE: DOG FOOD
KNOWN ACCOMPLICES: DROP AND LOLA

KINK

GINA

CIBO PREFERITO: LATTE
PASSATEMPO PREFERITO:
DORMIRE AL SOLE
COMPLICI: GINO E BIRELA

FAVOURITE FOOD: MILK
FAVOURITE PASTIME: SLEEPING IN THE SUN
KNOWN ACCOMPLICES: GINO AND BIRELA

COSE CHE LO INFASTIDISCONO: QUANDO
BIRELA È TROPPO STANCO PER GIOCARE
BRUTTO VIZIO: MORDERE LA CODA DI GINA
PASSATEMPO PREFERITO: GIOCARE CON SUA MADRE, BIRELA

PET PEEVE: WHEN BIRELA IS TOO TIRED TO PLAY
NAUGHTIEST DEED: BITING GINA ON THE TAIL
FAVOURITE PASTIME: PLAYING WITH HIS MOTHER, BIRELA

GINO

CASCINA CA' ROSSA CUNEO, PIEMONTE | POMERANIA, 2 MESI | PROPRIETARIO: ANGELO FERRIO

PASSATEMPO PREFERITO: MANGIARE,
ANDARE A CACCIA DI BRICIOLE
GIOCATTOLO PREFERITO: MISTER PINK
COSE CHE LA INFASTIDISCONO: LA MANCANZA DI BRICIOLE

FAVOURITE PASTIMES: EATING AND CHASING BREADCRUMBS
FAVOURITE TOY: MISTER PINK
PET PEEVE: NOT HAVING BREADCRUMBS

DAISY

PASSATEMPO PREFERITO: DORMIRE VICINO LA PORTA
GIOCATTOLO PREFERITO: LE SCARPE DI TUTTI
BRUTTO VIZIO: DISTRUGGERE LE SCARPE DA GINNASTICA
COSE CHE LA INFASTIDISCONO: GLI SCONOSCIUTI

FAVOURITE PASTIME: SLEEPING AT THE FRONT DOOR
FAVOURITE TOYS: EVERYBODY'S SHOES
NAUGHTIEST DEED: RUINING GYM SHOES
PET PEEVE: STRANGERS

DORA

CIBO PREFERITO: IL PANE
GIOCATTOLO PREFERITO: LA SUA COPERTA
COSE CHE LO INFASTIDISCONO: I CANI PIÙ GIOVANI
COMPLICI: SUO FRATELLO, RAOUL

FAVOURITE FOOD: BREAD
FAVOURITE TOY: HIS COVER
PET PEEVE: YOUNGER DOGS
KNOWN ACCOMPLICE: HIS BROTHER, RAOUL

BRET

INITZA

PASSATEMPO PREFERITO: RINCORRERE I CAVALLI
BRUTTO VIZIO: RINCORRERE I CAVALLI
GIOCATTOLO PREFERITO: IL FRUSTINO
COSE CHE LO INFASTIDISCONO: IL SILENZIO

FAVOURITE PASTIME: CHASING HORSES
NAUGHTIEST DEED: CHASING HORSES
FAVOURITE TOY: WHIP
PET PEEVE: SILENCE

PASSATEMPO PREFERITO: ANDARE A CACCIA
BRUTTO VIZIO: ANDARE A CACCIA
GIOCATTOLO PREFERITO: LA BICICLETTA
COSE CHE LO INFASTIDISCONO: RESTARE SOLO

FAVOURITE PASTIME: HUNTING
NAUGHTIEST DEED: HUNTING
FAVOURITE TOY: BIKES
PET PEEVE: BEING ALONE

TAMBOE

TRACO

PASSATEMPO PREFERITO: NUOTARE E VINCERE LE GARE
GIOCATTOLO PREFERITO: PALLINA DA TENNIS
COSE CHE LO INFASTIDISCONO: NON VINCERE LE GARE

FAVOURITE PASTIMES: SWIMMING AND WINNING COMPETITIONS
FAVOURITE TOY: TENNIS BALL
PET PEEVE: NOT WINNING COMPETITIONS

PASSATEMPO PREFERITO: ANDARE A CACCIA
GIOCATTOLO PREFERITO: PALLINA DA TENNIS
COSE CHE LO INFASTIDISCONO: RESTARE A CASA DA SOLO
COMPLICI: TRACO, JAKIE E ALAN

FAVOURITE PASTIME: HUNTING
FAVOURITE TOY: TENNIS BALL
PET PEEVE: BEING LEFT ALONE IN THE HOUSE
KNOWN ACCOMPLICES: TRACO, JAKIE AND ALAN

REX

PASSATEMPO PREFERITO: GIOCARE CON GLI
OSSI E MORDERE LA CODA AGLI ALTRI CANI
COMPLICI: POLIFEMO IL GATTO

FAVOURITE PASTIMES: PLAYING WITH BONES
AND BITING THE TAILS OF THE OTHER DOGS
KNOWN ACCOMPLICE: POLIFEMO THE CAT

TENUTA DI CHIZZANO PISA, TOSCANA | LABRADOR X F | PROPRIETARIA GINEVRA VENEROSI PESCIOLINI

PASSATEMPO PREFERITO: PASSARE IL TEMPO CON ELEONORA
CIBO PREFERITO: LA CARNE
GIOCATTOLO PREFERITO: LA COPERTA
COSE CHE LA INFASTIDISCONO: GLI ESTRANEI

FAVOURITE PASTIME: SPENDING TIME WITH ELEONORA
FAVOURITE FOOD: MEAT
FAVOURITE TOY: BLANKET
PET PEEVE: STRANGERS

LOLA

OASI DEGLI ANGELI ASCOLI PICENO, MARCHE | VOLPINO X, 7 | PROPRIETARIA: ELEONORA ROSSI

CIBO PREFERITO: IL SALAME
BRUTTO VIZIO: MANGIARE I PULCINI
GIOCATTOLO PREFERITO: LE PALLINE E I GATTI
COSE CHE LO INFASTIDISCONO:
I GATTI CHE GIRONZOLANO ATTORNO AL SUO CIBO

FAVOURITE FOOD: SALAMI
NAUGHTIEST DEED: EATING BABY CHICKENS
FAVOURITE TOYS: BALLS AND CATS
PET PEEVE: CATS AROUND HIS FOOD

PLUTO

PROPRIETARIA: ELEONORA ROSSI | LABRADOR X, 6 | **OASI DEGLI ANGELI** ASCOLI PICENO, MARCHE | 223

L'ULTIMA TENTAZIONE DI
MADISON D. DOG – CAN DA TARTUFI

di Zar Brooks

UN CANE DELLA COSTIERA (AMALFITANA) dev'essere di una razza a parte. Allevato in spiaggia a primavera, trascorre le estati in montagna, all'ombra del Vesuvio. Gli inverni alleviati dal tepore del forno a legna, ed è tutta una festa di mozzarella di Bufala, in cantina a leccare Fiano, Greco di Tufo e Taurasi versati per errore, quando non si rosicchia un osso di prosciutto: si può immaginare un'esistenza più bucolica per un Cane del Vino?

Domiciliato in quel di Campagna, Avellino, Madison D. Dog esprime la quintessenza del cane del vino, razza purissima, pedigree in regola, splendido carattere. Manto dorato, e la classica, fiera sversatura del Rhodesian proprio al centro del dorso.

Vita da cani, nel cuore d'Italia – il sole, il vino, le squisitezze, gli amici; si ammazza il tempo, e ogni tanto un rèfolo d'aria.

Spaparanzàta nel suo posticino preferito, all'ingresso delle cantine, Madison si agitava al passaggio di ogni automobile, ogni camioncino, che fossero consegne, o rabbocchi di giovane Aglianico alle demi-johns.

Felice come una pasqua alla vista di tutti gli autisti, Madison applicava la tecnica 'annusa-e-scodinzola'; altro che lo 'stringi-la-mano-e-sorridi' dei politici. Qualche balzo, il caratteristco 'uuuuuuuu, uuuuuuuu': questa la tipica, lieta accoglienza. Tutta gente dall'odore interessante; gli automezzi, poi, erano un chiaro richiamo a partecipare ad un'avventura a finestrini spalancati. Se il conducente lasciava la portiera aperta, per Madison era un palese invito ad accomodarsi sul sedile di cortesia.

Non sia detto, però, che Madison fosse una scansafatiche. Il suo apporto in azienda era insostituibile: infaticabili fauci per ammorbidire i tappi-stopper in silicone delle botti, indefessa leccatrice d'acini scivolati dal tino della pesta, animatrice dei vendemmiatori. Fra le sue gravose responsabilità extra-aziendali, fiutare i cinghiali nel bosco prospiciente – un impegno che onorava con frequenza. L'effigie di Madison D. Dog è stata persino pubblicata sul Gambero Rosso... una cagna sulla cresta dell'onda. Impareggiabile nelle pennichelle in prossimità del forno a legna – una prossimità tale, che l'odore del fumo di ciocchi prendeva le note inconfondibili del pelo bruciacchiato.

Possedeva il dono di essere nel posto giusto proprio al momento giusto; quando era il momento di gettare un pasticcino avanzato, o quando un uovo troppo 'stagionato' veniva rinvenuto nel pollaio. Madison D. Dog riusciva a fiutare qualcosa di commestibile, prima di qualunque altra creatura.

Ci volle un bel po' di tempo per ricostruire come Madison fosse finita in Piemonte. Si avventurava spesso, naso in terra coda al cielo, sulle tracce dei cinghiali, nei boschi che contornavano l'azienda. I sentieri boschivi la portavano ad inoltrarsi lontano da casa, in questa landa montana dove poteva abbeverarsi ai ruscelli, rincorrere i conigli, imbattersi in ogni sorta di scoperta, senza mai perdere di vista la strada che conduceva a casa, e sapendo sempre quando fosse il momento di imboccarla.

THE LAST TEMPTATION OF
MADISON D. DOG – TRUFFLE HOUND
by Zar Brooks

A DOG FROM THE AMALFI COAST is certainly a different breed. Brought up on the beach in spring, the mountains in summer, in the shadow of Mt Vesuvius. Winters spent by the wood oven, feasting on buffalo mozzarella, lapping up any spilt Fiano, Greco di Tufo and Taurasi in the cellar, all the time gnawing on prosciutto bones – a more bucolic existence for a winery dog would be very hard to imagine...

Domiciled in Avellino, Campagna, Madison D. Dog was the quintessential winery dog, pure bred (with papers) and a beautiful temperament. Her coat was a golden almond colour with a proud Rhodesian ridgeback's ridge running down the centre.

It was a dog's life in the heart of Italy – sunshine, wine, food and friends, just passing the time and occasionally a little wind.

Lying in her favourite spot at the front of the cellars, Madison would stir for each and every car or truck that pulled up, either delivering supplies or to re-fill demi-johns with some fresh Aglianico.

Happy to see any driver, Madison would do the 'sniff and wag', the equivalent of the politicians' 'grip and grin'. A few leaps in the air, and a 'woo wooo' was the excited greeting. People smelt interesting and vehicles meant one thing – a 'windows down' adventure. If the driver left the door open, Madison took it as an invitation for front-seat position.

That's not to say Madison didn't work. In the winery she was invaluable, softening up silicon barrel bungs in her jaws, lapping up any spilt berries in the crusher pit, and keeping the harvest workers company. As part of her duties she often left the winery to sniff out wild boar in the adjacent forest. Madison D. Dog even had her photograph in Gambero Rosso *... she was certainly on the rise. Madison's ability to doze so close to the wood oven that the smell of wood smoke would be unmistakably blurred with the smell of singed fur, was amazing.*

She had the knack of being in the right place at exactly the right time; when that leftover pasticini from breakfast was being thrown out, or when an old egg was discovered in the hen house. Madison D. Dog could sniff out anything edible before any other creature.

How Madison ended up in Piedmonte, thousands of kilometres from home, took some time to piece together. Madison often took herself off on adventures, nose down, tail up, on the trail of wild boar in the forest and mountains that surrounded her winery. These forest floor paths led her far and wide into the high country, where she could drink from the stream, chase rabbits, roll in any number of questionable discoveries, but always knowing when and where was the way home.

Last year, on one of these adventures, although the delicious smell of brochette and artichoke being cooked for the evening meal was present, a stronger odour lured her through the undergrowth.

225

L'anno scorso, durante una di queste avventure, in spregio al forte aroma di spiedini e carciofi alla brace per il desinar serale, un odore più forte la vinse, richiamandola nel sottobosco.

Un insieme di odori, per verità. Molti le erano familiari, eppure esercitavano un attrazione irresistibile, intensi eppur distanti. Di cosa si trattava? Lei affrettava il passo, e l'odore cresceva, ma, come all'inseguimento dell'arcobaleno, la pentola d'oro restava irraggiungibile. Povera, ignara Madison D. Dog: ad averla sottratta con l'inganno al suo mondo idilliaco era stato il tanfo della monnezza di Napoli, ammassata durante la recente crisi dello smaltimento. A ben 45 minuti di macchina da casa! Il mondo era mutato, bruscamente, tutti gli odori e gli scenari a lei familiari soffocati da una coltre di fumo, tanfo e frenesia.

Bagnata, infreddolita, sperduta, e confusa, Madison si ritrovava in una città spietata, senza alcuna possibilità che il fiuto la riportasse a casa: tutte le tracce erano compromesse, ottenebrate da una cacofonia olfattiva. Dopo qualche notte trascorsa nei viali, ecco una Fiat dall'aspetto familiare materializzarsi fuori una gelateria di zona. Nicola, consulente enologo, lasciava la porta aperta e il motore acceso, giusto il tempo di prendere una porzione dell'eccellente gelato al pistacchio e nocello, in confezione a portar via, per allietare il lungo viaggio verso nord.

L'auto emanava tutti gli effluvi tipici di casa sua... lievito, uve, vino in fermentazione, cibo rancido e scarpe da lavoro dall'odore 'vissuto'. In un batter d'occhio, Madison era sul sedile posteriore, crogiolandosi nel rollio e becheggio dell'automezzo, per tre mesi l'anno promosso a casa viaggiante.

Fedele al protocollo, Nicola balzava in macchina, cominciava a parlare al telefono, cellulare nella destra, gesticolando con la sinistra, ad accompagnare l'eloquio animato. Finestrini tirati giù e musica al massimo, l'enologo pigiò sul pedale, proseguendo per un giorno intero di viaggio, verso il Piemonte, e il suo prossimo Cliente. Nel caos dell'abitacolo, un cane esausto cadeva in un sonno profondo sul divano posteriore. Ore dopo, Madison si svegliava a Roddi, un piccolo castello a un'ora da Torino; Nicola, basito, scaricava il passeggero al suo Cliente, compiaciuto per il nuovo arrivo: la nostra era giunta all'Università dei Cani da Tartufo.

Appollaiata su una collinetta, l'Università esiste dal 1880 circa; qui, quattro generazioni di istruttori hanno addestrato i cani a scovare il tartufo. D'altro canto, meglio i cani dei maiali; si sa, i maiali tengono fede alla propria fama, e, una volta scavato il nobile tubero, possono cedere alla tentazione...

L'unico impiegato presente nell'Università sembrava colto di sorpresa dal nuovo arrivo, un randagia senza collare, ma non mancò di rinfrescarla con un bagno e offrirle un giaciglio sicuro.

Entrare in una scuola piena di pastori tedeschi poteva forse intimidire Madison, che però, grazie alle scorribande a cinghiale in Italia meridionale, si trovava perfettamente a proprio agio. D'altra parte, i cinghiali seguiti erano a propria volta sulle tracce dei tartufi neri; quale migliore prescuola per apprendere la cerca dei tartufi bianchi d'Alba?

It was a series of smells. She could recognise many of them, but it was so incredibly alluring, distant but intense. What was it? As she ran faster, the smell got stronger, but like chasing a rainbow, the pot of gold stayed just out of reach. Little did Madison D. Dog know but she was being lured from her idyllic world by the smell of the great garbage strike in Naples, a good 45-minute drive from her home. Suddenly her world changed, and all the familiar smells and sights were overwhelmed by the big smoke, the big smell and the big madness.

Wet, cold, lost, and confused, Madison was in a pitiless city, the trail home obliterated by a cacophony of odours. After days sleeping inside alleys, a familiar Fiat pulled up outside a nearby gelataria. Leaving the door open, engine running, its driver, Nicola the consultant winemaker, dashed inside to collect a styrofoam box of the finest local nocello and pistachio for his drive up north.

The Fiat exuded the more familiar smells of home ... yeast, grapes, fermenting wine, stale food and smelly work boots. In a flash Madison was on the back seat nuzzling under the flotsam and jetsam of a car that becomes a mobile home for three months of the year.

Nicola, true to form, jumped straight back into his Fiat, speaking animatedly with his left hand, his mobile phone in his right hand. Windows down and music blaring, he put his foot down; he had a whole day's driving to get to Piedmonte and his next client. Amongst the chaos on the back seat an exhausted dog went straight to sleep. When Madison awoke hours later in Roddi, a little hamlet an hour out of Turin, a surprised Nicola handed his passenger to his bemused client, the Università dei Cani Tartufo – the University of the Truffle Hunting Dogs.

Perched on top of a hill since the 1880s, the University's four generations of trainers had taught dogs to hunt truffles. Dogs rather than pigs as, simply put, pigs can be pigs ... they find the truffle and then are somewhat tempted.

The University's lone employee was a little taken aback by the new arrival but gave the collarless stray a bath and a bed. Madison had left hell and was in heaven.

Joining a school full of German shepherds was daunting, but Madison's boar-tracking exploits down south held her in good stead. Those wild boar themselves were on the hunt for black truffles – so tracking them was perfect training to hunt the Tartufo Bianco of Piedmonte.

Madison went from uninvited refugee to top of the class in less than three weeks. Truffle-hunting to Madison was like water to a duck. The University had only thought of her as a decoy dog, to put other truffle-hunters off the scent, but she became an instant seasoned professional.

Initially her digging style was a little over-enthusiastic, but she passed the ultimate test on her first excavation, the white gold she had unearthed was slightly pawed, but un-tasted.

In meno di tre settimane, Madison passò da profugo inatteso a prima della classe. Per lei, la cerca del tartufo era come l'acqua per un pesce: un'inclinazione naturale. Inizialmente, gli istruttori dell'Università avevano pensato a lei come cane esca, per portare gli altri cani fuori traccia; invece, in men che non si dica, Madison si trasformò in una esperta cercatrice professionista.

Dapprima, il suo stile di scavata sembrava un po' troppo esuberante, ma al primo ritrovamento, passò l'esame brillantemente; la gustosa pepita appena estratta portava qualche segno di zampa, ma non era assolutamente stata addentata.

La voce delle doti di Madison corse in fretta. Circa un anno dopo, i vecchi padroni avellinesi lessero sul Gambero Rosso un articolo su tartufo bianco e accoppiamenti enogastronomici, con tanto di foto del loro cane, che, con loro sorpresa, la didascalia chiamava 'Maria'. Organizzarono in quattro e quattr'otto una spedizione all'Università del Tartufo.

Non senza qualche iniziale sospetto, alla fine gli Accademici esclusero l'ipotesi dei rapitori di cani a caccia di riscatto, data l'esplosione festosa di Madison alla sola vista dei padroni. Così, si giunse ad un accordo: estate in Costiera, stagione dei tartufi in Piemonte.

QUESTA STORIA È STATA RACCONTATA DA **ELENA BROOKS**, DOCTORESSA DI VINI (SAREBBE A DIRE, ENOLOGA) IN ITALIA DA DUE ANNATE, E DA SUO MARITO **ZAR BROOKS**, CHE LA SEGUE, MAGNETICAMENTE ATTRATTO DALL'AROMA DEL TARTUFO. AL LORO CANE PERMETTEREBBERO DI SONNECCHIARE NEL LETTONE PIÙ SPESSO, SE SOLO IMPARASSE AD ANDAR'A TARTUFI, UNA BUONA VOLTA...

News spread fast of Madison's abilities. A year or so later, when Madison's Avelino owners read an article on White Truffle and Wine Matching in Gambero Rosso there was her photo again, curiously now named 'Maria' in the caption. A quick expedition to the University was undertaken.

Although rather suspicious, the University ruled out dog-nappers chasing a ransom on seeing the rapturous greeting Madison gave her owners. A deal was done and now Madison spends her summers on the Amalfi Coast and Truffle Season in Piedmonte.

THIS TALE WAS TOLD BY **MRS ELENA BROOKS**, DOCTORESSA DI VINI (WINEMAKER) FOR THE PAST TWO VINTAGES IN ITALY AND HER HUSBAND **MR ZAR BROOKS** WHO CAME ALONG FOR THE TRUFFLES. THEIR DOG WOULD BE ALLOWED TO SLEEP IN THEIR BED MORE OFTEN IF IT COULD HUNT TRUFFLES...

CIBO PREFERITO: LA CARNE
BRUTTO VIZIO: NUOTARE NEL LAGO
COSE CHE LO INFASTIDISCONO: GLI ESTRANEI

FAVOURITE FOOD: MEATS
NAUGHTIEST DEED: SWIMMING IN THE LAKE
PET PEEVE: STRANGERS

ROCKY

FERDI

PASSATEMPO PREFERITO: ANDARE A CACCIA
CIBO PREFERITO: CARNE E CROCCANTINI
GIOCATTOLO PREFERITO: LA PALLA

FAVOURITE PASTIME: HUNTING
FAVOURITE FOODS: MEAT AND DRY FOOD
FAVOURITE TOY: BALL

CIBO PREFERITO: LE PATATINE FRITTE
BRUTTO VIZIO: DORMIRE
SULLA POLTRONA DEL PADRONE
GIOCATTOLO PREFERITO: IL GATTO

FAVOURITE FOOD: CHIPS
NAUGHTIEST DEED: SLEEPING
ON THE BOSS'S ARMCHAIR
FAVOURITE TOY: THE CAT

SISSI

MIA AGRIGENTO, SICILIA   231

CIBO PREFERITO: GELATO E YOGURT
PASSATEMPO PREFERITO: INSEGUIRE CAMURRIA IL GATTO
BRUTTO VIZIO: ATTACCARSI AI PANTALONI MENTRE CAMMINA
GIOCATTOLO PREFERITO: LE PANTOFOLE DI SALVATORE LA LUMIA

FAVOURITE FOOD: GELATO AND YOGURT
FAVOURITE PASTIME: FOLLOWING CAMURRIA THE CAT
NAUGHTIEST DEED: ATTACKING PEOPLE'S PANTS WHILE THEY'RE WALKING
FAVOURITE TOY: SALVATORE'S SLIPPERS

TARALLO

CIUCCI

PASSATEMPO PREFERITO: SCAVARE BUCHE NEI VIGNETI
CIBO PREFERITO: SALSICCE AL NERO D'AVOLA
COSE CHE LA INFASTIDISCONO: I GATTI E GLI ALTRI CANI

FAVOURITE PASTIME: DIGGING HOLES IN THE VINEYARD
FAVOURITE FOOD: SAUSAGES IN RED WINE
PET PEEVES: CATS AND OTHER DOGS

PASSATEMPO PREFERITO:
GIOCARE CON GLI OSPITI
BRUTTO VIZIO: SCAVARE LE BUCHE
COSE CHE LA INFASTIDISCONO: TROPPE PERSONE

FAVOURITE PASTIME: PLAYING WITH GUESTS
NAUGHTIEST DEED: DIGGING HOLES
PET PEEVE: CROWDS

NERINA

FONZI

PASSATEMPO PREFERITO: CORRERE DIETRO AI GATTI
BRUTTO VIZIO: ATTACCARE I CANI PIÙ GRANDI DI LUI
COSE CHE LO INFASTIDISCONO: ESSERE ACCAREZZATO
DA ESTRANEI QUANDO È NEL SUO CESTO
COMPLICI: CHICCA, ROLF E YORK

FAVOURITE PASTIME: CHASING CATS
NAUGHTIEST DEED: ATTACKING BIGGER DOGS
PET PEEVE: BEING PATTED BY STRANGERS WHEN IN HIS BASKET
KNOWN ACCOMPLICES: CHICCA, ROLF AND YORK

BRUTTO VIZIO: ESSERE PIGRO
PASSATEMPO PREFERITO: CORRERE TRA I VIGNETI
COSE CHE LO INFASTIDISCONO: QUANDO GLI TOLGONO IL PALLONE
COMPLICI: FONZI, ROLF E CHICCA

NAUGHTIEST DEED: LAZINESS
FAVOURITE PASTIME: RUNNING AROUND THE VINES
PET PEEVE: SOMEONE STEALING HIS FOOTBALL
KNOWN ACCOMPLICES: FONZI, ROLF AND CHICCA

YORK

OTTO

CIBO PREFERITO: IL PESCE
GIOCATTOLO PREFERITO: DINO IL PELLUCHE
COSE CHE LO INFASTIDISCONO: LA BUCCIA DEL LIMONE

FAVOURITE FOOD: FISH
FAVOURITE TOY: DINO THE SOFT TOY
PET PEEVE: LEMON SKINS

CIBO PREFERITO: LASAGNE AL RAGÙ
BRUTTO VIZIO: NON TRATTENERE LA PIPÌ PER LA FELICITÀ
COSE CHE LA INFASTIDISCONO: LO SPRUZZATORE

FAVOURITE FOOD: LASAGNE WITH MEAT SAUCE
NAUGHTIEST DEED: PEEING WHEN HAPPY
PET PEEVE: SPRAYS

MILLA

PROPRIETARI: STEFANIA E SARA ROCCHI | PASTORE TEDESCO, 1 | **CASTELVECCHIO** FIRENZE, TOSCANA

PIPPO

PASSATEMPO PREFERITO: ANDARE A CACCIA DI LUCERTOLE
GIOCATTOLO PREFERITO: NICO
COSE CHE LO INFASTIDISCONO: LE MACCHINE CHE PASSANO

FAVOURITE PASTIME: CHASING LIZARDS
FAVOURITE TOY: NICO
PET PEEVE: CARS DRIVING PAST

SARTARELLI ANCONA, MARCHE | TERRIER X, 3 | PROPRIETARIA: CATERINA CHIACCHIARINI

PASSATEMPO PREFERITO: NUOTARE NEL MARE
CIBO PREFERITO: I TORTELLINI
COSE CHE LA INFASTIDISCONO: IL VETERINARIO

FAVOURITE PASTIME: SWIMMING IN THE SEA
FAVOURITE FOOD: TORTELLINI
PET PEEVE: THE VET

SALLY

WALLACE

PASSATEMPO PREFERITO: CONTROLLARE IL TERRITORIO
CIBO PREFERITO: CROCCANTINI A BASE DI PESCE
COMPLICI: ETTORE, IL SUO COMPAGNO FEDELE

FAVOURITE PASTIME: GUARDING HIS TERRITORY
FAVOURITE FOOD: DRY FISH-FLAVOURED DOG FOOD
KNOWN ACCOMPLICE: ETTORE, HIS TRUSTED COMPANION

PASSATEMPO PREFERITO: ANDARE A CACCIA
CIBO PREFERITO: LA PASTA
COSE CHE LO INFASTIDISCONO:
GLI SCONOSCIUTI

FAVOURITE PASTIME: HUNTING
FAVOURITE FOOD: PASTA
PET PEEVE: STRANGERS

ETTORE

NERONE

PASSATEMPO PREFERITO: DORMIRE E GIOCARE
GIOCATTOLO PREFERITO: PEZZI DI LEGNO
BRUTTO VIZIO: INSEGUIRE LE MACCHINE
COSE CHE LO INFASTIDISCONO: ESSERE
DISTURBATO MENTRE MANGIA

FAVOURITE PASTIMES: SLEEPING AND PLAYING
FAVOURITE TOY: STICKS
NAUGHTIEST DEED: CHASING CARS
PET PEEVE: BEING DISTURBED WHILST EATING

PASSATEMPO PREFERITO: GIOCARE CON I SASSI
CIBO PREFERITO: CROCCANTINI!
BRUTTO VIZIO: ENTRARE IN UFFICIO
COSE CHE LO INFASTIDISCONO: I GATTI

FAVOURITE PASTIME: PLAYING WITH STONES
FAVOURITE FOOD: DRY DOG FOOD
NAUGHTIEST DEED: GOING INTO THE OFFICE
PET PEEVE: CATS

ULISSE

CIBO PREFERITO: MINIWÜRSTEL
BRUTTO VIZIO: FARE LA PIPÌ IN CASA
COSE CHE LA INFASTIDISCONO: QUANDO I
GATTINI VANNO A DORMIRE NELLA SUA CUCCIA
AMICI: PERLA IL GATTO

FAVOURITE FOOD: BITE-SIZED HOT DOGS
NAUGHTIEST DEED: PEEING IN THE HOUSE
PET PEEVE: WHEN THE CATS SLEEP IN HER PLACE
KNOWN ACCOMPLICE: PERLA THE CAT

VALENTINO BUTUSSI UDINE FRIULI VENEZIA GIULIA │ PINSCHER x ? │ PROPRIETARIA: PIERINA BUTUSSI

CIBO PREFERITO: CROISSANT
COSE CHE LA INFASTIDISCONO: RESTARE SOLA
GIOCATTOLO PREFERITO: LE LEPRI

FAVOURITE FOOD: CROISSANT
PET PEEVE: BEING ALONE
FAVOURITE TOY: HARES

BIRBA

PASSATEMPO PREFERITO: ANDARE A CACCIA
CIBO PREFERITO: CROCCANTINI
COSE CHE LO INFASTIDISCONO: I SERPENTI

FAVOURITE PASTIME: HUNTING
FAVOURITE FOOD: DRY DOG FOOD
PET PEEVE: SNAKES

ACHILLE

ORTOLE

PASSATEMPO PREFERITO: DORMIRE
CIBO PREFERITO: PASTA AL SUGO
GIOCATTOLO PREFERITO: BASTONCINI DI LEGNO
COSE CHE LA INFASTIDISCONO: I GATTI E LE PERSONE RUMOROSE

FAVOURITE PASTIME: SLEEPING
FAVOURITE FOOD: PASTA WITH SAUCE
FAVOURITE TOY: WOODEN STICKS
PET PEEVES: LOUD PEOPLE AND CATS

CIBO PREFERITO: POLLO ARROSTO
PASSATEMPO PREFERITO: PARLARE CON MANUELA E PEPPE
GIOCATTOLO PREFERITO: BOTTIGLIE DI PLASTICA
COSE CHE LA INFASTIDISCONO: I RUMORI FORTI E I FUOCHI D'ARTIFICIO

FAVOURITE FOOD: ROAST CHICKEN
FAVOURITE PASTIME: TALKING TO MANUELA AND PEPPE
FAVOURITE TOY: PLASTIC BOTTLES
PET PEEVES: LOUD NOISES AND FIREWORKS

PALLAGRELLA

MEGGHIE

CIBO PREFERITO: BISCOTTI DOLCI
BRUTTO VIZIO: DORMIRE SUL DIVANO DI CASA
GIOCATTOLO PREFERITO: LE SCARPE VECCHIE
COSE CHE LA INFASTIDISCONO: GLI ESTRANEI

FAVOURITE FOOD: SWEET BISCUITS
NAUGHTIEST DEED: SLEEPING ON THE COUCH INSIDE
FAVOURITE TOYS: OLD SHOES
PET PEEVE: STRANGERS

PASSATEMPO PREFERITO: *DORMIRE SOTTO IL SOLE*
CIBO PREFERITO: *BISCOTTI DOLCE*
BRUTTO VIZIO: *MORDERE I PIEDI*
COSE CHE LO INFASTIDISCONO: *I CANI CHE NON CONOSCE*

FAVOURITE PASTIME: *SLEEPING IN THE SUN*
FAVOURITE FOOD: *SWEET BISCUITS*
NAUGHTIEST DEED: *BITING FEET*
PET PEEVE: *UNFAMILIAR DOGS*

BIRILLO

CIBO PREFERITO: LA FRESELLA
BRUTTO VIZIO: LA PIGRIZIA
GIOCATTOLO PREFERITO: UN PUPAZZO MUSICALE
COSE CHE LA INFASTIDISCONO: I RUMORI

FAVOURITE FOOD: FRESELLA (CAMPANIAN CRISP BREAD)
NAUGHTIEST DEED: BEING LAZY
FAVOURITE TOY: MUSICAL STUFFED TOY
PET PEEVE: NOISE

SAMBA

VILLA MATILDE CASERTA, CAMPANIA | DOGUE DE BORDEAUX, 1 | PROPRIETARIA: MARIA IDA AVALLONE

SIAMO A DESTINAZIONE?

CONSIGLI DI SOPRAVVIVENZA DAL NAVIGATORE

di Susan Elliott

Non necessariamente tutte le strade portano a Roma, neanche quelle che promettono di farlo.

Se andate di fretta, non chiedete informazioni a paesani in gruppi più numerosi di due individui, soprattutto se ultrasettuagenari. Cercate di mantenere un posto libero sul sedile posteriore, per quando vi chiederanno di salire a bordo e mostrarvi il tragitto.

In caso di carico superiore a trenta casse di vino nel baule di una Fiat Stilo, non avventurarsi su salite a fondo ghiaioso, con pendenze a 45°.

Il semplice fatto che una cittadina sia segnata su una carta stradale italiana non significa che essa debba per forza esistere.

Non assumerete mai quell'aria stilisticamente superiore sorseggiando caffè da Gilli, Firenze, se avete trascorso i precedenti due mesi a bordo di un'utilitaria, con altre tre persone e una valigia minuscola.

Se dichiarate ai vostri interlocutori di non parlare una parola d'italiano, continueranno a darvi informazione in italiano, in compenso alzando a dismisura il volume della voce.

I pasti in Autogrill faranno per sempre sfigurare la cucina delle stazioni di servizio (ma anche di tanti ristoranti) in giro per il mondo.

I gondolieri veneziani sono piuttosto sensibili al solletico sotto le ascelle.

Prima di sollevare qualunque tipo di cane e posizionarlo per uno scatto, accertarsi sempre che non si sia rotolato in materia inerte. Anche i vostri compagni di viaggio trarranno beneficio da questo consiglio...

I peli di cane non stanno bene con la moda italiana di ogni tipo.

Non trangugiare tre arancini a colazione prima di affrontare un viaggio in auto di cinque ore attraverso la Sicilia.

Se avete deciso di ballare sulla plancia del traghetto notturno Sorrento – Capri, evitare di tracannare due bottiglie di pinot grigio in precedenza.

Gli addetti al pedaggio di Autostrade potrebbero avere difficoltà a comprendere l'italiano con inflessioni australiane. Evitare battute e freddure.

Non fate carezze ai cinghiali – reagiscono in maniera del tutto diversa da un beagle.

In Italia, il cibo migliore lo trovate a nord di Roma. E a sud di Roma. E a Roma, per giunta.

Non appena lasciate l'Italia, vorrete ritornare in Italia.

SUSAN ELLIOTT È CO-TITOLARE E DIRETTORE CREATIVO DELLA CASA EDITRICE GIANT DOG, A SIDNEY, AUSTRALIA.

ARE WE THERE YET?

SURVIVAL TIPS FROM THE NAVIGATOR

by Susan Elliott

All roads do not necessarily lead to Rome – even some that claim to.

If you are in a hurry, do not ask directions from groups of more than two village locals. Especially if they are over 60 years old. Try to have some free space in the back seat for when they want to get in the car to show you the way.

If you have more than 30 cases of wine in the boot of a Fiat Stilo, do not attempt to drive up gravelled, 45 degree inclines.

Just because a town appears on an Italian map does not mean that it exists.

You will never look stylish drinking coffee in Gilli, Florence, after spending two months in a small car with three other people and a very small suitcase.

If you tell people that you cannot speak Italian, they will still tell you directions in Italian but do so very loudly.

The lunches at Autogrills will forever ruin service stations' (and many restaurants') cuisine from elsewhere in the world.

Gondoliers can be quite ticklish under their arms.

Before you lift any type of dog, to arrange it for a photo, always check to see if it's rolled in anything dead. Your car-mates will benefit from this advice as well...

Do not eat three arancinis for breakfast before a five-hour drive across Sicily.

If you plan to dance across the gang plank of the Sorrento to Capri night ferry, do not drink two bottles of pinot grigio beforehand.

The toll collectors on the Autostrades may have trouble understanding Italian spoken with an Australian accent. Avoid telling them jokes.

Do not try to pat a cinghiali – they are not at all like a beagle.

The best food in Italy is north of Rome. And south of Rome. And in Rome as well.

As soon as you leave Italy, you will want to return to Italy.

SUSAN ELLIOTT IS CO-OWNER AND CREATIVE DIRECTOR OF GIANT DOG PUBLISHING BASED IN SYDNEY, AUSTRALIA.

TUTTE LE FOTO SONO COPYRIGHT © CRAIG McGILL 2008

SUSAN ELLIOTT

SYDNEY, NSW

Stella e Sue

SUSAN È UN'ARTISTA POLIEDRICA, CON UNA SOLIDA FORMAZIONE IN BELLE ARTI, ILLUSTRAZIONE E STAMPA. DOPO DUE ANNI DI STUDIO ALLA FACOLTÀ DI PSICOLOGIA, DECIDE DI DARSI ALL'ARTE A TEMPO PIENO. SI LAUREA PRESSO IL CITY ART INSTITUTE NEL 1986, SPECIALIZZANDOSI IN DISEGNO, STAMPA E PITTURA.

TRASCORSI DUE ANNI ALL'ESTERO, SUSAN RITORNA IN AUSTRALIA; ESPONE PIÙ VOLTE I PROPRI LAVORI DI GRAFICA E STAMPA NELLA ZONA DI SIDNEY, MENTRE COLLABORA CON DIVERSI STUDI GRAFICI. OGGI SUSAN È UNA DESIGNER PLURIPREMIATA, CHE VANTA OLTRE 19 ANNI DI ESPERIENZA NEL SETTORE GRAFICO.

NEL 1999, SUSAN ENTRA A FAR PARTE DEL MCGILL DESIGN GROUP, IN QUALITÀ DI CO-TITOLARE E DIRETTORE CREATIVO. È CO-FONDATRICE E RESPONSABILE DELL'EDITRICE GIANT DOG, CHE HA ALL'ATTIVO VARI BEST SELLER AUSTRALIANI, TRA CUI WINE DOGS E FOOTY DOGS.

INOLTRE, SUSAN È UN'INSUPERABILE ESPERTA DI CANI; IN PASSATO, HA PERSINO TROVATO IL TEMPO PER GESTIRE UN NOTO ALLEVAMENTO DI HUSKY SIBERIANI. NEL "GIRO" DEI SUOI CANI, CIRCOLA VOCE CHE SIA UNA PADRONA IMPAGABILE. PREDILIGE I VINI BIANCHI; SPESSISSIMO, ALLUNGA UNA MANO VERSO IL BICCHIERE, E L'ALTRA VERSO IL SOFFICE MANTO DI UN CUCCIOLO D'HUSKY.

SUSAN IS A MULTI-SKILLED ARTIST WITH A BACKGROUND IN FINE ART, ILLUSTRATION AND PRINTMAKING. AFTER COMPLETING TWO YEARS OF A PSYCHOLOGY DEGREE, SUE CHANGED TO A CAREER IN ART. SHE GRADUATED FROM THE CITY ART INSTITUTE IN 1986, MAJORING IN DRAWING, PRINTMAKING AND PAINTING.

AFTER TWO YEARS LIVING ABROAD, SUE RETURNED TO AUSTRALIA AND EXHIBITED HER GRAPHIC ART AND SCREENPRINTS EXTENSIVELY AROUND SYDNEY, WHILE ALSO WORKING IN A NUMBER OF SMALL DESIGN STUDIOS. SHE HAS DEVELOPED INTO AN AWARD-WINNING GRAPHIC DESIGNER WITH OVER 19 YEARS OF EXPERIENCE IN THE INDUSTRY.

SUE JOINED McGILL DESIGN GROUP IN 1999 AS CO-OWNER AND CREATIVE DIRECTOR. SHE IS ALSO CO-FOUNDER AND PRINCIPAL OF THE GIANT DOG PUBLISHING HOUSE, WHICH IS RESPONSIBLE FOR PRODUCING A NUMBER OF BEST-SELLING BOOKS, INCLUDING THE WINE DOGS AND FOOTY DOGS TITLES.

SUE'S KNOWLEDGE OF DOGS IS UNPARALLELED, AND IN THE PAST SHE HAS ALSO FOUND TIME TO BE A SUCCESSFUL SIBERIAN HUSKY BREEDER. SHE IS CONSIDERED AMONGST THE PACK TO BE A GREAT OWNER. SUE IS A LOVER OF ALL WHITE WINE AND USUALLY REACHES FOR HER FAVOURITE RIESLING WHEN FEELING A LITTLE HUSKY.

CRAIG McGILL

SYDNEY, NSW

Craig e Tarka

ORIGINARIO DI SHEPPARTON, VICTORIA, CRAIG È UN DESIGNER-ILLUSTRATORE AUTODIDATTA. HA COMINCIATO LA LIBERA PROFESSIONE A 18 ANNI, A MELBOURNE. FRA LE COMMESSE PIÙ IMPORTANTI DI QUEL PERIODO, LA CONSULENZA DI DESIGN PRESSO LA BANCA CENTRALE D'AUSTRALIA.

HA IDEATO E ILLUSTRATO BANCONOTE IN TUTTO IL MONDO; FRA I FIORI ALL'OCCHIELLO, IL BIGLIETTO DA DIECI DOLLARI DEL BICENTENARIO AUSTRALIANO, IL TAGLIO DA 100 DOLLARI NELLA VERSIONE ORIGINALE, IL KINA DI PAPUA NEW GUINEA, I DOLLARI DELLE ISOLE COOK E I TRAVELLER'S CHEQUE IN STERLINE INGLESI. CRAIG HA INOLTRE PARTECIPATO ALLA PROGETTAZIONE E ALLA ILLUSTRAZIONE DI DOCUMENTI UFFICIALI — PASSAPORTI, OBBLIGAZIONI E TRAVELLER'S — PER CONTO DI DIVERSE NAZIONI.

A 23 ANNI, HA PROGETTATO L'INTERA SERIE DI BANCONOTE DELLE ISOLE COOK; PER QUESTO INCARICO, È RITENUTO IL PIÙ GIOVANE DESIGNER CHE ABBIA REALIZZATO UNA DIVISA NAZIONALE COMPLETA. NEL 1991, SI TRASFERISCE A SIDNEY; LE SUE ILLUSTRAZIONI SONO COMMISSIONATE REGOLARMENTE DA AGENZIE E STUDI AUSTRALIANI E INTERNAZIONALI.

CRAIG È RICONOSCIUTO COME L'UNICO LIBERO PROFESSIONISTA SPECIALIZZATO NEL DESIGN DI VALUTE IN TUTTO IL CONTINENTE AUSTRALIANO. HA ANCHE PROGETTATO E ILLUSTRATO CINQUE FRANCOBOLLI PER LE POSTE AUSTRALIANE.

È DIRETTORE CREATIVO DELLA PROPRIA AGENZIA, IL McGILL DESIGN GROUP, DA ORMAI VENTICINQUE ANNI. CRESCIUTO CON UNA SERIE DI BEAGLE, I PADRONI DI CRAIG ORA SONO DUE HUSKY SIBERIANI. www.realnasty.com.au

ORIGINALLY FROM SHEPPARTON, VICTORIA, CRAIG IS A SELF-TAUGHT DESIGNER AND ILLUSTRATOR WHO STARTED HIS OWN DESIGN BUSINESS IN MELBOURNE AT 18 YEARS OF AGE. DURING THAT TIME HE WAS APPOINTED AS A DESIGN CONSULTANT TO THE RESERVE BANK OF AUSTRALIA.

HIS DESIGNS AND ILLUSTRATIONS HAVE GRACED BANKNOTES THROUGHOUT THE WORLD, INCLUDING THE AUSTRALIAN BICENTENARY TEN-DOLLAR NOTE. HIS WORK APPEARS ON THE ORIGINAL AUSTRALIAN $100 NOTE, PAPUA NEW GUINEA KINA, COOK ISLAND DOLLARS AND ENGLISH POUND TRAVELLER'S CHEQUES. CRAIG WAS ALSO INVOLVED IN THE DESIGN AND ILLUSTRATION OF MANY COUNTRIES' SECURITY DOCUMENTS, SUCH AS PASSPORTS, BONDS AND TRAVELLER'S CHEQUES.

AT THE AGE OF 23 HE DESIGNED THE ENTIRE SERIES OF THE COOK ISLAND BANKNOTES, AND IT IS BELIEVED THAT HE WAS THE WORLD'S YOUNGEST DESIGNER TO DESIGN A COUNTRY'S COMPLETE CURRENCY. IN 1991, CRAIG MOVED TO SYDNEY WHERE HIS ILLUSTRATIONS WERE REGULARLY COMMISSIONED BY AGENCIES AND DESIGNERS BOTH IN AUSTRALIA AND AROUND THE WORLD.

HE IS NOW WIDELY KNOWN AS AUSTRALIA'S ONLY FREELANCE CURRENCY DESIGNER. CRAIG HAS ALSO DESIGNED AND ILLUSTRATED FIVE STAMPS FOR AUSTRALIA POST.

CRAIG HAS BEEN CREATIVE DIRECTOR OF HIS OWN AGENCY, McGILL DESIGN GROUP, FOR OVER TWENTY-THREE YEARS. HAVING GROWN UP WITH A SUCCESSION OF BEAGLES, CRAIG IS NOW OWNED BY TWO SIBERIAN HUSKIES. www.realnasty.com.au

INDICE DELLE AZIENDE VINICOLE / WINERY INDEX

PIEMONTE

1. Abbona
PAGINA 43 / PAGE 43
B.Ta. San Luigi, 40
12063 Dogliani (CN)
Tel: 39 0173 721317
www.abbona.com

2. Alessandria, Fratelli
PAGINE 180, 181 / PAGE 180, 181
Via B. Valfrè, 59
12060 Verduno (CN)
Tel: 39 0172 470113
www.fratellialessandria.it

3. Altare, Elio – Cascina Nuova
PAGINA 175 / PAGE 175
Frazione Annunziata, 51
12064 La Morra (CN)
Tel: 39 0173 50835
www.elioaltare.com

4. Ascheri
PAGINA 182 / PAGE 182
Via G. Piumati, 23
12042 Bra (CN)
Tel: 39 0172 412394
www.ascherivini.it

5. Barroero
PAGINA 20 / PAGE 20
Cascina Cornole, 34
12060 Farigliano (CN)
Tel: 39 0173 76249
www.agriturismo-lacantina.it

6. Busso, Piero
PAGINE 166,167 / PAGES 166,167
Via Albesani, 8
12052 Neive (CN)
Tel: 39 0173 67156
www.bussopiero.com

7. Ca' del Baio
PAGINA 13 / PAGE 13
Via Ferrere, 33
12050 Treiso (CN)
Tel: 39 0173 638219
www.cadelbaio.com

8. Ca' Rossa, Cascina
PAGINA 212 / PAGE 212
Loc. Cascina Ca' Rossa, 56
12043 Canale (CN)
Tel: 39 0173 98348
www.cascinacarossa.com

9. Ca' Viola
PAGINA 19 / PAGE 19
B.ta S. Luigi, 11
12063 Dogliani (CN)
Tel: 39 0173 70547
www.caviola.com

10. Cascina La Maddalena
PAGINA 14 / PAGE 14
Loc. Piani del Padrone, 257
15078 Rocca Grimalda (AL)
Tel: 39 0143 876074
www.cascina-maddalena.com

11. Chicco, Cascina
PAGINA 178 / PAGE 178
Via Valentino, 144
12043 Canale (CN)
Tel: 39 0173 979411
www.cascinachicco.com

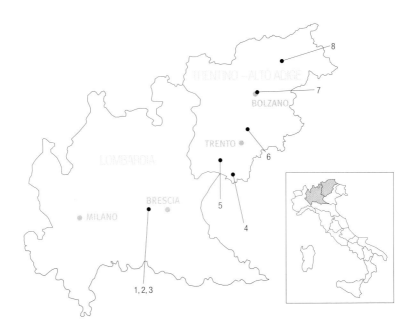

LOMBARDIA

1. Bellavista
PAGINE 28, 30 / PAGES 28, 30
Via Bellavista, 5
25030 Erbusco (BS)
Tel: 39 0307 762000
www.bellavistawine.it

2. Ca' del Bosco
PAGINE 84, 85 / PAGES 84, 85
Via Albano Zanella, 13
25030 Erbusco (BS)
Tel: 39 0307 766136
www.cadelbosco.com

3. Ricci Curbastro
PAGINE 90, 91, 95 /
PAGES 90, 91, 95
Via Adro, 37
25031 Capriolo (BS)
Tel: 39 030 736094
www.riccicurbastro.it

TRENTINO – ALTO ADIGE

4. San Leonardo, Tenuta
PAGINE 38–42 / PAGES 38–42
Fraz. Borgetto all'Adige
Loc. San Leonardo
38060 Avio (TN)
Tel: 39 0464 689004
www.sanleonardo.it

5. Vallarom
PAGINE 44–46 / PAGES 44–46
Fraz. Masi, 21
38063 Avio (TN)
Tel: 39 0464 684297
www.vallarom.it

6. Haderburg
PAGINA 165 / PAGE 165
Fraz. Bucholz
Loc. Pochi, 30
39040 Salorno (BZ)
Tel: 39 0471 889097
www.haderburg.it

7. Loacker
PAGINA 106 / PAGE 106
Loc. Santa Giustina, 3
39100 Bolzano/Bozen (BZ)
Tel: 39 0471 365125
www.loacker.net

8. Pacherhof
PAGINA 102 / PAGE 102
Fraz. Novacella
V. Lo Pacher, 1
39040 Varna (BZ)
Tel: 39 0472 835717
www.pacherhof.com

VENETO

1. Allegrini
PAGINA 119 / PAGE 119
Via Giare, 9/11
37022 Fumane di
Valpolicella (VR)
Tel: 39 0456 832011
www.allegrini.it

2. Bussola, Tommaso
PAGINA 129 / PAGE 129
Loc. San Peretto
Via Molino Turri, 30
37024 Negrar (VR)
Tel: 39 0457 501740
www.bussolavini.com

3. Ca' Orologio
PAGINA 141 / PAGE 141
Via Cà Orologio, 7a
35030 Baone (PD)
Tel: 39 0429 50099
www.caorologio.com

4. Maculan
PAGINA 139 / PAGE 139
Via Castelletto, 3
36042 Breganze (VI)
Tel: 39 0445 873733
www.maculan.net

5. Miotti, Firmino
PAGINA 140 / PAGE 140
Via Brogliati Contro, 53
36042 Breganze (VI)
Tel: 39 0455 873006
www.miottifirmino.it

6. Musella
PAGINE 132–135 /
PAGES 132–135
Loc. Monte del Drago
37036 San Martino
Buon Albergo (VR)
Tel: 39 0459 73385
www.musella.it

7. Prà
PAGINA 131 / PAGE 131
Via della Fontana, 31
37032 Monteforte
d'Alpone (VR)
Tel: 39 045 7612125

8. Santi
PAGINA 138 / PAGE 138
Via Ungheria, 33
37031 Illasi (VR)
Tel: 39 0456 520077
www.giv.it

9. Tommasi Vitcoltori
PAGINA 49 / PAGE 49
Fraz. Pedemonte
Via Ronchetto, 2
37029 San Pietro
in Cariano (VR)
Tel: 39 0457 701266
www.tommasiwine.it

FRIULI VENEZIA GIULIA

1. Attems, Conti
PAGINA 47 / PAGE 47
Via Giulio Cesare, 36a
34070 Lucinico (GO)
Tel: 39 0481 393619
www.attems.it

2. Butussi, Valentino
PAGINA 246 / PAGE 246
Via Prà di Corte, 1
33040 Corno di Rosazzo (UD)
Tel: 39 0432 759194
www.butussi.it

3. Carpino, Il
PAGINE 236, 237 /
PAGES 236, 237
Loc. Sovenza, 14a
34070 San Floriano
del Collio (GO)
Tel: 39 0481 884097
www.ilcarpino.com

4. Collavini, Eugenio
PAGINE 122–124 /
PAGES 122–124
Loc. Gramogliano
Via della Ribolla Gialla, 2
33040 Corno di Rosazzo (UD)
Tel: 39 0432 753222
www.collavini.it

5. Di Lenardo
PAGINE 126, 127 /
PAGES 126, 127
Fraz. Ontagnano
Piazza Battisti, 1
33050 Gonars (UD)
Tel: 39 0432 928633
www.dilenardo.it

6. Livio Felluga
PAGINA 27 / PAGE 27
Via Risorgimento, 1
34071 Brazzano (GO)
Tel: 39 0481 60203
www.liviofelluga.it

7. Ronco dei Tassi
PAGINE 112, 113 /
PAGES 112, 113
Loc. Monte, 38
34071 Cormons (GO)
Tel: 39 0481 60155
www.roncodeitassi.it

8. Ronco delle Betulle
PAGINE 114, 115 /
PAGES 114, 115
Loc. Rosazzo
Via Abate Colonna, 24
33044 Manzano (UD)
Tel: 39 0432 740547
www.roncodellebetulle.it

9. Russiz Superiore
PAGINE 117, 118 /
PAGES 117, 118
Via Russiz, 7
34070 Capriva del Friuli (GO)
Tel: 39 0481 80328
or 39 0481 99164
www.marcofelluga.it

10. Volpe Pasini
PAGINA 69 / PAGE 69
Fraz. Togliano
Via Cividale, 16
33040 Torreano (UD)
Tel: 39 0432 715151
www.volpepasini.it

EMILIA ROMAGNA

LIGURIA

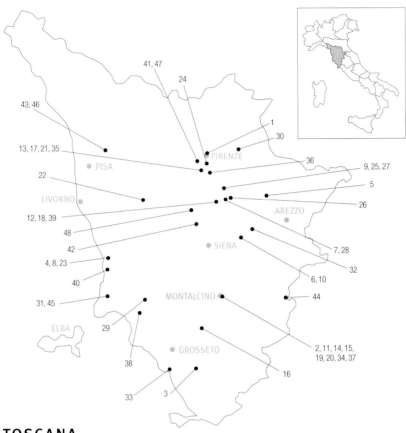

TOSCANA

1. Antinori, Marchesi
PAGINA 207 / PAGE 207
Piazza Antinori, 3
50123 Firenze (FI)
Tel: 39 055 23595
www.antinori.it

2. Argiano
PAGINA 245 / PAGE 245
Loc. Sant' Angelo in Colle
53020 Montalcino (SI)
Tel: 39 0577 844037
www.argiano.net

3. Banti, Erik
PAGINA 210 / PAGE 210
Loc. Fosso dei Molini
58054 Scansano (GR)
Tel: 39 0564 508006
www.erikbanti.com

4. Biserno, Tenuta di
PAGINE 200–203, 206 /
PAGES 200–203, 206
Provincia di Bibbone
57020 Bolgheri (LI)
Tel: 39 0565 762165
www.antinori.it

5. Borro, Il
PAGINE 62, 63 /
PAGES 62, 63
Loc. Il Borro, 1
52020 San Giustino
Valdarno (AR)
Tel: 39 055 9772921
www.ilborro.it

6. Bossi, Castello di
PAGINA 78 / PAGE 78
Loc. Bossi in Chianti
53033 Castelnuovo
Berardenga (SI)
Tel: 39 0577 359330
www.castellodibossi.it

28. Montevertine
PAGINA 50 / PAGE 50
Loc. Montevertine
53017 Radda In Chianti (SI)
Tel: 39 0577 738009
www.montevertine.it

29. Morisfarms
PAGINA 108 / PAGE 108
Loc. Cura Nuova
Fattoria Poggetti
58024 Massa Marittima (GR)
Tel: 39 0566 918010
www.morisfarms.it
www.tenutapoggetti.com

30. Nipozzano, Castello di
PAGINE 188, 189 /
PAGES 188, 189
Loc. Nipozzano
50060 Pelago (FI)
Tel: 39 0558 311325
www.frescobaldi.it

31. Petra
PAGINA 29 / PAGE 29
Loc. San Lorenzo
Alto, 131
57038 Suvereto (LI)
Tel: 39 05 6584 5308
www.petrawine.it

32. Petrolo, Fattoria
PAGINA 101 / PAGE 101
Fraz. Mercatale Valdarno
Via Petrolo, 30
52020 Bucine (AR)
Tel: 39 0559 911322
www.petrolo.it

33. Poggio Argentiera
PAGINA 213 / PAGE 213
Loc. Banditella di Alberese
58010 Scansano (GR)
Tel: 39 0564 405099
www.poggioargentiera.com

34. Poggiolo, Il
PAGINA 198 / PAGE 198
Podere Sasso al Vento, 262
53024 Montalcino (SI)
Tel: 39 0577 848412
www.ilpoggiolo
montalcino.com

35. Poggiopiano, Fattoria
PAGINE 104, 105 /
PAGES 104, 105
Via di Pisignano, 28/30
50026 San Casciano
in Val di Pesa (FI)
Tel: 39 0558 229629

**36. Poggio Scalette,
Podere**
PAGINE 74, 75 / PAGES 74, 75
Loc. Ruffoli
Via Barbiano, 7
50022 Greve in Chianti (FI)
Tel: 39 0558 546108
www.poggioscalette.it

37. Rasina, La
PAGINA 214 / PAGE 214
Loc. Rasina, 132
53024 Montalcino (SI)
Tel: 39 0577 848536
www.larasina.it

38. Rocca di Frassinello
PAGINE 247–249 /
PAGE 247–249
Loc. Giuncarico
58040 Gavorrano (GR)
Tel: 39 0577 742903
www.castellare.it

39. San Fabiano Calcinaia
PAGINE 120, 121 /
PAGES 120, 121
Loc. Cellole
53011 Castellina
in Chianti (SI)
Tel: 39 0577 979232
www.sanfabianocalcinaia.com

40. Sapaio, Podere
PAGINE 64, 65 / PAGES 64, 65
Loc. Lo Scopaio, 212
57022 Castagneto
Carducci (LI)
Tel: 39 0565 765187
www.sapaio.it

41. Sonnino, Castello
PAGINE 54, 55 / PAGES 54, 55
Via Volterrana Nord, 10
50025 Montespertoli (FI)
Tel: 39 0571 609 198
www.castellosonnino.it

42. Stomennano
PAGINE 51–53 / PAGES 51–53
Loc. Stomennano
53035 Monteriggioni (SI)
Tel: 39 0577 304033
www.stomennano.it

43. Terre del Sillabo
PAGINE 56, 57 / PAGES 56, 57
Loc. Capella
Via per Camaiore Traversa, 5
55060 Ponte del Giglio (LU)
Tel: 39 0583 394487
www.terredelsillabo.it

44. Trinoro, Tenuta di
PAGINA 211 / PAGE 211
Via Val d'Orcia, 15
53047 Sarteano (SI)
Tel: 39 0578 267110
www.trinoro.it

45. Tua Rita
PAGINA 96 / PAGE 96
Loc. Notri, 81
57028 Suvereto (LI)
Tel: 39 0565 829237
www.tuarita.it

46. Valgiano, Tenuta di
PAGINE 80–83 / PAGES 80–83
Fraz. Valgiano
Via di Valgiano, 7
55010 Lucca
Tel: 39 0583 402271
www.tenutadivalgiano.it

47. Vicchio
PAGINA 173 / PAGE 173
Via Lungagnana, 133
50025 Montespertoli (FI)
Tel: 39 0571 608638
www.aziendepiazzini.
florencewine.it

48. Zeta Project, Cantina
PAGINA 155 / PAGE 155
Loc. Santa Margherita
53037 San Gimignano (SI)
Tel: 39 0577 941501
www.il-caggio.com

MARCHE

1. Oasi degli Angeli
PAGINE 222, 223 /
PAGES 222, 223
C.Da Sant'Egidio, 50
63012 Cupra Marittima (AP)
Tel: 39 0739 778569
www.kurni.it

2. Pollenza, Il
PAGINA 16 / PAGE 16
Via Casone, 4
62029 Tolentino (MC)
Tel: 39 0733 961989
www.ilpollenza.it

3. Sartarelli
PAGINA 240 / PAGE 240
Via Coste del Molino, 24
60030 Poggio San
    Marcello (AN)
Tel: 39 0731 89732
www.sartarelli.it

4. Umani Ronchi
PAGINA 241 / PAGE 241
S.S. 16, Km. 310 + 400, n74
60027 Osimo (AN)
Tel: 39 071 7108019
www.umanironchi.com

UMBRIA

**5. Lungarotti, Cantine
    Giorgio**
PAGINE 168–172 /
PAGES 168–172
Via Mario Angeloni, 16
06089 Torgiano (PG)
Tel: 39 0759 88661
www.lungarotti.it

6. Regine, Castello delle
PAGINE 215–217 /
PAGES 215–217
Via Ortana Vecchia,
05027 San Liberato (TR)
Tel: 39 0744 702005
www.castellodelle
    regine.com

**7. Sportoletti,
    Ernesto e Remo**
PAGINE 218, 219 /
PAGES 218, 219
Via Lombardia, 1
06038 Spello (PG)
Tel: 39 0742 651461
www.sportoletti.com

LAZIO

8. Mottura, Sergio
PAGINA 154 / PAGE 154
Loc. Poggio della Costa, 1
01020 Civitella
    d'Agliano (VT)
Tel: 39 0761 914533
www.motturasergio.it

ABRUZZO

9. Podere Castorani
PAGINE 194, 195 /
PAGES 194, 195
Via Castorani, 5
65020 Alanno (PE)
Tel: 39 3466 355635
www.poderecastorani.it

CAMPANIA

10. Terre del Principe
PAGINE 250, 251 /
PAGES 250, 251
Via S.P. SS Giovanni
    e Paolo, 30
81010 Castel
    Campagnano (CE)
Tel: 39 0823 867126
www.terredelprincipe.com

11. Villa Matilde
PAGINE 252–254 /
PAGES 252–254
SS Domitiana, 18
81030 Cellole (CE)
Tel: 39 0823 932088
www.villamatilde.it

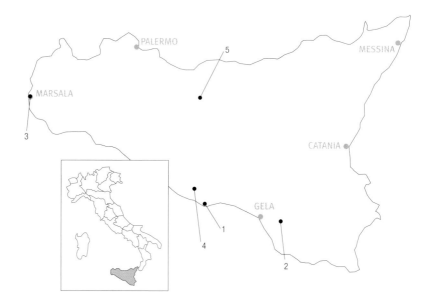

SICILIA

1. Barone Nicolò La Lumia, Tenuta
PAGINE 231–233 /
PAGES 231–233
Casal Pozzillo
92027 Licata (AG)
Tel: 39 0922 891709
www.baronelalumia.it

2. Cos, Azienda Agricola
PAGINE 234, 235 /
PAGES 234, 235
S.P. 3 Acate-Chiaramonte,
   Km. 14,500
97011 Acate (RG)
Tel: 39 0932 876145
www.cosvittoria.it

3. Donnafugata
PAGINE 152, 153 /
PAGES 152, 153
Via Sebastiano Lipari, 18
91025 Marsala (TP)
Tel: 39 0923 724200
www.donnafugata.it

4. Solevin SrL
PAGINA 229 / PAGE 229
Contrada Spagnolo
92027 Naro (AG)
Tel: 39 0922 852461
www.solevin.it

5. Tasca d'Almerita
PAGINA 230 / PAGE 230
Contrada Regaleali
90020 Sclafani Bagni (PA)
Tel: 39 0921 544011
www.tascadalmerita.it

GRAZIE...

Wine Dogs ha il piacere di ringraziare tutte le persone elencate di seguito per il loro inestimabile aiuto durante il nostro viaggio.

I cani del vino – edizione italiana è dedicato a Jennifer Grieve – morsa mentre era sul pezzo...

A Jennifer il nostro ringraziamento più sentito; il suo entusiasmo per i libri della collana Wine Dogs ci ha convinto che il nostro prossimo progetto sarebbe stato questa edizione italiana. Jennifer si è prodigata in tutto il lavoro di preproduzione: i primi contatti e gli appuntamenti con tutte le aziende di punta dell'Italia del vino (o meglio, con tutte quelle che ospitavano almeno un cane). Ha anche stilato la nostra tabella di marcia: sette settimane, oltre 135 aziende visitate, prenotazioni alberghiere e pasti compresi. Se questo non bastasse, per tutto il viaggio ci ha scorazzato in macchina, in lungo e in largo per l'Italia (qualche volta, riuscendo persino a tenere la destra). È riuscita a prendere solo un morso da un pastore tedesco un po' troppo rigido, e diversi da enologi permalosi.

THANK YOU...

Wine Dogs would like to thank the following people who helped us on our journey.

Wine Dogs Italy is dedicated to Jennifer Grieve – bitten in the line of duty...

A big thank you to Jennifer whose enthusiasm for our Wine Dogs books convinced us that the next project should be Wine Dogs Italy. Jennifer put together all the pre-production work, including contacting and organising appointments with all the leading Italian wineries (the ones that had dogs that is!). She was also responsible for producing the seven-week timetable of visiting over 135 wineries, including our accommodation and meals. If that wasn't enough, she also drove us around Italy for the whole trip (sometimes on the right side of the road!) She managed to get bitten only once by a rather over-zealous German shepherd and several times by touchy winemakers.

To our wonderful network of friends and family back in Australia whose constant support and enthusiasm has made this book a lot easier to produce.

To our four-legged clowns back home – Tok, Tarka and Stella for the constant laughs and for still loving us when we returned after seven weeks.

A tutti i familiari e gli amici in Australia, per averci dato lo straordinario sostegno ed entusiasmo che hanno reso molto più facile il compito di produrre questo libro.

Ai nostri buffoncelli a quattro zampe, che ci aspettano a casa – Tok, Tarka e Stella, per le risate senza soluzione di continuità e per l'affetto che continuano a darci, anche dopo che li abbiamo lasciati per sette settimane.

Durante i nostri spostamenti, siamo stati aiutati e incoraggiati da diverse persone straordinarie, tra cui Lorenzo (Fangio) Bondi – l'unico, in Italia, a guidare più veloce di Jarno Trulli, e Laura e Gianna Bondi, che ci hanno amorevolmente rifocillati e ospitati, offrendoci un trattamento simile a quel che si riserva ai cari che non vedi da tempo.

Uno speciale ringraziamento a Francesca Moretti e Teresa Caniato di Bellavista, per l'aiuto ininterrotto, il sostegno e la generosa ospitalità. Essere stati vostri ospiti a L'Albereta rimane uno dei punti esclamativi del nostro splendido tour per l'Italia. Quale onore, poi, avervi potuto aiutare nei festeggiamenti del decimo compleanno di Petra. Il vostro entusiasmo per il nostro libro è per noi motivo di orgoglio.

Vorremmo ringraziare tutte le persone elencate di seguito, che nel corso della nostra visita hanno offerto la loro ospitalità ricettiva o gastronomica (talvolta entrambe):

Along our travels we were helped and encouraged by many wonderful people, including Lorenzo (Fangio) Bondi – the only man in Italy who drives faster than Jarno Trulli, and Laura and Gianna Bondi who kindly fed and housed us, treating us like we were long-lost family.

Special thanks to Francesca Moretti and Teresa Caniato at Bellavista for your endless help, support and very generous hospitality. Being your guest at L'Albereta was one of the highlights of a wonderful tour around Italy. And what an honour it was for us to help you celebrate at Petra's 10th birthday. We really appreciate your enthusiasm for our book.

We would like to thank the following people who all very generously fed or accommodated us during our visit (sometimes both!): Gabriella Burlotto and Mario Andrion at Castello di Verduno; Riccardo Ricci Curbastro who helped in every way imaginable; Luca Pinelli Gentile at Castello di Tagliolo; Anna and Eugenio Collavini at Eugenio Collavini; Pierangelo Tommasi at Tommasi Viticoltori; Penny Ford at Castello di Meleto; Livia Colantonio and Paolo Nodali at Castello della Regine and Tiziana Frescobaldi at Castello Nipozzano.

Gabriella Burlotto e Mario Andrion del Castello di Verduno, Riccardo Ricci Curbastro che ci ha aiutato in ogni concepibile maniera, Luca Pinelli Gentile del Castello di Tagliolo, Anna e Eugenio Collavini di Eugenio Collavini, Pierangelo Tommasi di Tommasi Viticoltori, Penny Ford del Castello di Meleto, Livia Colantonio e Paolo Nodali del Castello della Regine e Tiziana Frescobaldi di Castello Nipozzano.

Grazie alla squisita Nicoletta Bocca, a Giacolino Gillardi, Giacomo Barroero, Pio e Nicoletta Boffa, alla famiglia Pasquero, a Massimo Damonte, Michela Marenco, al Dottor Piero Cappelletti, a Barbara Mottini e Filippo Scienza, Andrea Felluga e Ilaria Pessina, Maddalena Pasqua, Fausto Maculan, Franca Miotti, Massimo Lorenzi, Giampi Moretti e Clara Cavina, Jurij Fiore, Simone Setti, al dottor Adolfo Parentini, a Stefania Rocchi, Nicoletta Costa Novaro, Erika Ribaldi della Tenuta di Trinoro, Antonella Pagnanelli, Roberto Felluga, Chiara Lungarotti, Teresa Severini e Matteo Lupi Grassi, Giuseppe e Manuela Mancini di Terre del Principe, Carlo e Debora Tofanacchio, Josephin Cramer e Jarkko Peraenen di Candialle e Sun Branden del Castello di Tagliolo, per aver offerto aiuto e ospitalità durante la nostra visita.

Desideriamo esprimere la nostra gratitudine a tutte le aziende vinicole, che con grande generosità ci hanno donato alcuni dei vini più buoni che potreste mai assaggiare:

To the lovely Nicoletta Bocca, Giacolino Gillardi, Giacomo Barroero, Pio and Nicoletta Boffa, the Pasquero Family, Massimo Damonte, Michela Marenco, Dr. Piero Cappelletti, Barbara Mottini and Filippo Scienza, Andrea Felluga and Ilaria Pessina, Maddalena Pasqua, Fausto Maculan, Franca Miotti, Massimo Lorenzi, Giampi Moretti and Clara Cavina, Jurij Fiore, Simone Setti, Dr. Adolfo Parentini, Stefania Rocchi, Nicoletta Costa Novaro, Erika Ribaldi at Tenuta di Trinoro, Antonella Pagnanelli, Roberto Felluga, Chiara Lungarotti , Teresa Severini and Matteo Lupi Grassi, Giuseppe and Manuela Mancini at Terre del Principe, Carlo and Debora Tofanacchio, Josephin Cramer and Jarkko Peraenen at Candialle and Sun Branden at Castello di Tagliolo for offering help and hospitality during our visit.

We would like express our gratitude to all the generous wineries that gifted us with some of the most amazing wines you could ever taste, including: Tenuta di Biserno, Castello Nipozzano, Tenuta di Ghizzano, Sergio Mottura, Solevin, Terre del Principe, Il Pollenza, Lungarotti, Umani Ronchi, Podere Castorani, Poggio Argentiera, Erik Banti, Colle Massari, Rocca di Frassinello, Morisfarms, Castello di Bossi, Fattoria La Massa, Candialle, Podere Poggio Scalette, Castelvecchio, Terre del Sillabo, Fattoria Monticino Rosso, Enio Ottaviani, Tre Monti, Maculan, Santi, Prà, Di Lenardo Vineyards,

Tenuta di Biserno, Castello Nipozzano, Tenuta di Ghizzano, Sergio Mottura, Solevin, Terre del Principe, Il Pollenza, Lungarotti, Umani Ronchi, Podere Castorani, Poggio Argentiera, Erik Banti, Colle Massari, Rocca di Frassinello, Morisfarms, Castello di Bossi, Fattoria La Massa, Candialle, Podere Poggio Scalette, Castelvecchio, Terre del Sillabo, Fattoria Monticino Rosso, Enio Ottaviani, Tre Monti, Maculan, Santi, Prà, Di Lenardo Vineyards, Eugenio Collavini, Il Carpino, Livio Felluga, Russiz Superiore, Ronco dei Tassi, Loacker, Haderburg, Vallarom, Cascina La Maddalena, Il Vignale, Castello di Tagliolo, Marenco, Clemente Guasti, Azienda Travaglini Giancarlo, Riccardo Ricci Curbastro, Bellavista, Pio Cesare, Azienda Agricola Giuseppe Mascarello e Figlio, Elvio Cogno, Oddero, G.D. Vajra, San Fereolo, Azienda Agricola Barroero and Azienda Agricola Giovanni Battista Gillardi.

Al Marchese Lodovico Antinori della Tenuta di Biserno, per essere stato l'anfitrione di uno dei pranzi più graditi dell'intero viaggio.

Grazie mille a Vanes e Emilia Pozzi del Podere Baldone per averci regalato una delle notti più pazzesche dele nostre sette settimane di viaggio. Vi promettiamo di non pubblicare MAI le foto!

Eugenio Collavini, Il Carpino, Livio Felluga, Russiz Superiore, Ronco dei Tassi, Loacker, Haderburg, Vallarom, Cascina La Maddalena, Il Vignale, Castello di Tagliolo, Marenco, Clemente Guasti, Azienda Travaglini Giancarlo, Riccardo Ricci Curbastro, Bellavista, Pio Cesare, Azienda Agricola Giuseppe Mascarello e Figlio, Elvio Cogno, Oddero, G.D. Vajra, San Fereolo, Azienda Agricola Barroero and Azienda Agricola Giovanni Battista Gillardi.

To Marchese Lodovico Antinori at Tenuta di Biserno for hosting what was one of our favourite meals of the trip.

Many thanks to Vanes and Emilia Pozzi at Podere Baldone for treating us to one of our wildest nights of our seven-week trip. We promise never to publish the photos!

Special thanks to all our contributors, Daniele Cernilli, Lodovico Antinori, Ferruccio Ferragamo, Tiziana Frescobaldi, Riccardo Ricci Curbastro, Giulio Parentini, Roberto Felluga and Federica Rosy Boffa for their great stories and support. Thank you so much!

Un ringraziamento speciale a tutti coloro che hanno offerto, insieme al loro sostegno, il loro contributo di storie divertenti e orginalissime: Daniele Cernilli, Lodovico Antinori, Ferruccio Ferragamo, Tiziana Frescobaldi, Riccardo Ricci Curbastro, Giulio Parentini, Roberto Felluga e Federica Rosy Boffa. Vi siamo debitori!

Grazie anche a Laura Lo Iacono per l'aiuto nella traduzione sul posto, ai fantastici ragazzi del Bar Lazio, Café 2000, Bertoni, Filicudi e Il Piave per averci propinato il miglior cibo italiano di tutta Sydney.

A Catherine Rendell, per lo splendido lavoro sul sito winedogs.com, Melinda McFadden, Lily Li, Adam Lechmere, Marina Thompson e Alessio Baccarini.

A Bruce, la Fiat Stilo che ha encomiabilmente percorso oltre over 13.000 chilometri, senza arrestarsi neanche quando tutto sembrava andare a carte quarantotto, come la notte in cui arrivammo in Austria e scoprimmo che era chiusa per il weekend (!).

Ciao

Craig e Susan

Thanks also to Laura Lo Iacono for translation help and the wonderful staff at Bar Lazio, Café 2000, Bertoni, Filicudi and Il Piave for feeding us Sydney's best Italian food.

To Catherine Rendell for her amazing winedogs.com website work, Melinda McFadden, Lily Li, Adam Lechmere, Marina Thompson and Alessio Baccarini.

To Bruce the Fiat Stilo who performed admirably over 13,000 kilometres and kept going even when all seemed to be going pear-shaped, such as the night we arrived in Austria only to find that it was closed for the weekend.

Ciao

Craig and Susan